MIURA AYAKO LITERATURE MUSEUM
三浦綾子記念文学館

手から手へ〜三浦綾子記念文学館復刊シリーズ⑥

石の森

三浦綾子

石の森　もくじ

第一章　燈のない部屋 …… 7
第二章　霧雨の日 …… 33
第三章　花びらの世界 …… 59
第四章　深夜の電話 …… 87
第五章　甘美の時 …… 113

第六章　孤　影 …… 141
第七章　暗い道 …… 167
第八章　ドアの内外 …… 193
第九章　断ち切れぬ水 …… 219
第十章　指定席 …… 245
第十一章　木々の墓 …… 271

第十二章　入江 …… 297
第十三章　野に立つ虹 …… 321
三浦綾子とその作品について …… 347

カバーデザイン　齋藤玄輔

第一章　燈のない部屋

第一章　燈のない部屋

一

その人はいっていた。

「人間は、本当に男と女の二種類しかないのだろうか。一旦こう考えると、会う人会う人が、男でも女でもなく見えて、仕方がないのよ」

どこの人かは、わからない。黒い、ほんとうに見事に黒い髪が、腰のあたりまで長く垂れ、そのまつ毛も、濃く長かった。が、唇は冷ややかなほどにうすく、鼻の形も、特にいいというほどではなかった。美人という顔ではないかも知れない。

が、その人が、すっと背をそらせて、ゆっくりと、喫茶店サイロに入ってきた時、わたしは食べかけていたアイスクリームのスプーンを、取り落としそうになったほど、はっとした。

着ているものは、V字ネックの、飾り気のない白いブラウスと、白い細いプリーツスカートだった。よく見れば平凡な服装なのに、その人はひどく妖しい雰囲気を持っていた。

多分、あの人は、何を着ても、あるいは全く何も着ていなくても、あのふしぎな雰囲気を持っている人なのではないだろうか。

　わたしは、斜め向こうの席にすわったその人に、ぼんやりと見とれていた。その人の連れは、二人の男だった。一人は大学生らしい長髪の青年で、ジーパンをはいており、一人は三十近い紳士タイプの人だった。

　主にジーパンが一人で話をしていた。何を話しているのかは、席が遠くて聞こえなかった。時々その人は、ひっそりと笑い、時にはきびしい顔をしていた。

「人間は、本当に男と女の二種類しか……」

　という言葉は、わたしがその傍のレジで、お金を払っている時に聞いたのだ。その声はまろやかで、一種の気品があった。

　あの人は札幌の人だろうか。

　帰ってきたら、まだ八時だった。ママが一人でウイスキーを飲んでいた。ママはわたしに、

「ね、早苗、一緒に飲もうよ」

　という。いやだといえば、ママは淋しいだろう。わたしはそう思って、

「いけないわ、ママ。誘惑しないで」

　といいながら、コップを出した。

「オンザロック？」

ママはうれしそうに、氷をコップの中に入れた。氷がひどく侘しい音を立てた。

「ね、早苗。早苗って、こわい子だわねえ」

しばらくしてママがいった。

「どうして？」

「だってさ、早苗は一度だって、飲んべえのママを非難したこともなければ、どうして飲むのって、聞いたこともない」

ふいにママの目に涙が盛り上がった。

「ママ、どうしたの？　ママはわたしに何かいわれたいの」

わたしはママに、聞きたいことが山ほどある。が、わたしは一度だって聞いたことはないのだ。ママがお酒を飲みはじめたのは、わたしが中三の頃からだ。中三のわたしに、ママは、

「ね、一緒に飲もうよ」

って、いったのだ。ママはきっと、わたしに白い目で見られやしないかと、おそれていたのだ。だから共犯者にしてしまいたかったのだ。

パパは酒もタバコものまない。パパは読書が好きで、すぐに書斎にとじこもってしまう。でも、わたしは知っている。パパは時々、本も読まずに、ぼんやりと何か考えていることを。

あの時……わたしがママにお酒を教えられはじめられた頃だから、やはり中三の冬だった。土曜の午後、書斎に入ったきりのパパに、わたしは熱い紅茶を持って行った。

軽くノックをしてドアをあけると、もううすぐらくなっているというのに、燈もつけずにパパは机に向かっていた。

「パパ、お紅茶よ」

というと、いつもは「ありがとう」というパパが、

「うん」

といったきりで本を見ていた。もう、字も見えないうす暗さだということに、パパは気づいていないのだ。

わたしは燈りをつけずに、そのまま部屋を出た。あの時、パパは泣いていたからだ。

(パパが泣くなんて?)

ショックだった。わたしはそれまで、パパの泣いた姿を見たことがない。

茶の間にもどると、ママがいった。

「パパ、本を読んでいらした?」

「ええ、もう夢中よ。パパったら」

「そう、電気をつけずに?」

わたしはギクリとした。ママはパパの部屋が暗いのを、ちゃんと知っていたのだ。きっとパパは、それまでも、時々うす暗い中で本をひらいていたのだろう。

いったい、パパは何を考えていたのだろう。でも、わたしは、

「パパ、電燈もつけずに、何を考えていたの」

なんて、聞けない女の子なのだ。

誰だって、人にはいえない思いというものがある。親子四人、同じ屋根の下にくらしてはいるけれど、いったい、お互いどれほど、お互いを知っているというのだろう。パパやママが、何を考えているかわからないように、パパやママだって、わたしが本当は何を考えて生きているかなんて、決してわかってやしない。

兄だって、わたしを知らない。わたしも、兄が、何を考えているか、わからないように。何も知らない同士が、親子きょうだいで、そしてもしかしたら、何もかも知っていると錯覚していたとしたら、これは悲劇だ。いや、喜劇かもしれない。

兄貴ときたら、部屋の壁に大きなヌードを三枚も貼って、いつもへらへらと笑っていて、そのくせ、

「原水爆禁止運動にカンパをねがいまあす」

と、街頭に立ったり、盲人ライブラリーのために「日本の歴史」全二十巻を、グループでテー

プに吹きこんだりしている。

　この間わたしの部屋に来て、

「おめえは少しおくてだぞ。十九という年で、まだ気の利いた恋人もいないなんてよう。おれの女の子なんか、十八やら十七やら、いや、十四の子だっている」

　とでたらめをいっていた。一度だって、わたしに原水爆の話も、盲人ライブラリーの話もしたことがない。父母だって「日本の歴史」のことが新聞に出て、はじめて自分の息子たちが、そんなことをしていたのかと驚いたのだ。

　家族というのは、お互いのことが、何もわからなくても、いいものなのだろうか。わたしだって、本当はママに聞きたいことがたくさんある。たとえば、十日ほど前、ママが一緒に車に乗っていたあの男は誰なのか、ママとどんな関係があるのか、わたしは知りたいのだ。

　少し頭が痛くて、早退《はやび》けした日だ。大学からの帰りのバスが、駅前の赤信号で停った時、少しおくれて、隣りにベンツが並んでとまった。わたしは、ちょうどそのベンツのほうを向いて立っていたので、何気なく車の中を見た。

　ハッとした。助手台にママがいたのだ。ママは、あの大好きなグリーンにすすきを黒く散らした着物を着て、運転台の若い男性と親しげに何か話していた。きりっとした眉の、どこか淋しげな横顔の男の人を見た時、わたしは正直いって、ママに嫉妬を感じた。わたしは咄嗟に車のナンバーに目をやった。その番号を、わたしは頭に入れたのだ。

家に帰ると、ママはまだ外出着のまま、ぺたんと座敷の畳の上にすわっていた。わたしを見ると、ママはひどくおどろいて、

「どうしたの？　体が悪いの」

って、いつもより、それはそれはやさしくしてくれた。

「ママ、どこかへ行ってきたの」

と聞きたかったが、わたしはそ知らぬふりをして、

「どこへ行くの」

といった。ママは、

「ちょっとね、パパのご用で行ってきたの」

と早口でいった。ママは、めったに早口になどなりはしない。いつも、少しゆっくりと、やや甘ったるい調子でものをいう。

あの晩、ママはメロメロになるほどウイスキーを飲んだ。そしてゲラゲラと笑い、いつものようには泣かなかった。

（ママ、あのベンツの人は誰なの）

わたしは、あの日、幾度ママに聞こうと思ったかわからない。でも、ママ、わたしは聞かなかった。その代わりわたしは、記憶していた番号を、電話で自動車協会に問い合わせたのだ。ママ、ゆるして。

ママ、あの方は新進の詩人、沢謙三さんで、パパのつとめているK商事の社長の息子さんだったのね。

ママは、わたしが一度もママを非難したことがない、どうして酒を飲むのかと尋ねたことがないって泣いた。でも、わたしは知りたがり屋だ。人間はみんな穿鑿《せんさく》好きだ。いやらしい目を持っているのだ。でも、わたしはほんの少しプライドがある。ほんの少しつつしみがある。ほんの少し、やさしさがある。どれもこれも、ほんの少しだが、しかし、それらの少しが重なって、わたしは無理に尋ね出そうとはしないのだ。

二

　十九歳。それは二十歳の一年前の年ということではない。十九歳と、二十歳とは全く質的にちがうのだと、サチ子もヨリ子もいう。

「どうちがうのよ、質的に」

　といったら、

「早苗は、十九歳までは、殺人をしても少女Sなのよ。刑も軽いわ。でも、二十歳になったら、たとえ万引きしても少女Sとはいわないわ。三木早苗なのよ」

　そんなことは、みんながいう。陳腐《ちんぷ》すぎる。第一、十九歳と二十歳で、人間が質的に変わるなんて、サチ子もヨリ子もどうかしている。決定的なちがいだなんて、ありはしない。十九歳の人間が、二十歳の人間より大人の場合だってあるのだ。

「それに早苗、十代と二十代では全くちがうわ。十代には、まだ十一か二の子供もいるじゃない。でも、二十代には子供はいないわ」

　だからどうだというのだろう。十一か二の時だって、わたしは人を好きになるという、あのやさしく切ない感情を知っていた。

（これはいってはいけないことだ）

　ということだって、もう十一か十二でちゃんと知っていた。大人のほうが、ずっとデリカシィに欠けていて、ずいぶんと無遠慮なもののいい方をする。もしかしたら、子供のほうが大人ではないかしら。

　わたしは、十九歳と二十歳はいかにちがうかという問題に飽きていった。

「ねえ、もしもよ。もしも、月も太陽と同じぐらいの熱を地球に与えるものだったら、どうなると思う」

「夜がなくなるわよ。夜ひる照らされて、わたしたちは黒人のようになるわよ。これ以上黒くなったら、わたしはゼッタイ自殺する」

　色の黒いヨリ子は、ゼッタイというところに力を入れて笑った。サチ子は、

「早苗は子供ねえ。そんな質問、やっぱり十代の子のいうことよ。二十歳になったら、そんな子供っぽいことをいう人はいないわ」

　子供で結構。大人とは、いったいどういうことなのだろう。蟻の行列を長いこと、じっと見つめているあの純粋な探求心。あんな純度の高い心境にあるのが子供だとしたら、子供は、何と気高い世界に生きていることだろう。

　大人というのは、もしかしたら、金、地位、名誉に無関係では、勉強も仕事もできない

人のことをいうのではないだろうか。

わたしは時々パパがきらいになる。ママがお酒を飲んでも、駄々をこねても、一言も叱らないパパがきらいなのだ。いや、叱れないパパがきらいなのだ。ママの不幸は、きっとパパに無関係ではない。わたしは、女を不幸にするような男はきらいだ。ママが泣くと、わたしはパパに憤りが湧く。

でも、そんなパパだけれど、パパの読書好き、あれは、金にも、地位にも、名誉にも無関係だと思う。パパにはうすぎたなさがない。

パパはフランス語が、英語よりも上手で、書斎に並んでいるモーリヤックも、ジイドも、スタンダールも、みんな原語だ。

わたしは、三つ四つの頃から、中学校に入るまで、パパに抱かれて寝た。パパの体はあたたかく、息にかすかな香気があった。タバコをのまないパパの匂いは、お茶のようないい香りがした。

パパはわたしをそっと抱きしめて、

「ボンジュール、マドモアゼル」

といったことが幾度かある。また、ある時は、

「アデュー、アデュー、アデュー」

と、いいつづけたこともある。いま考えると、そんなときの父は、ひどく淋しそうだったような気がする。

パパはまた、毎朝食事の前に、わたしを連れてよく散歩に行ったものだった。パパは多分、フランス文学の影響でもあったのだと思う。道や家に、よく名をつけた。

「さ、喜びの森に行こう」

とか、

「第五シンフォニィの川に行こう」

といった調子だった。喜びの森は、今はもう団地になってしまったが、あの頃は白樺と柏の林で、紅葉の頃などは白樺の幹が、まさに歓喜しているようだった。

第五シンフォニィの川は豊平川《とよひらがわ》で、この広い川原で、父は時々、フランス語（だと思う）で静かに歌っていたことがあった。

それから、「涙の谷」という小さな、いつもじめじめしていた窪地や、「めぐりあいの橋」という何の変哲もない木橋もあった。

パパは、兄とわたしの二人の子がいても、少年のようにみずみずしい人だったと思う。あのパパが、どうして自分の家を「涙の谷」にしてしまったのか、わたしにはわからない。いや、わが家がすべて「涙の谷」というわけではない。ママは「涙の谷」であっても、お兄さんは「陽のあたる丘」わたしは「惑いの森」パパは「沈黙の畔《ほと》り」にいる。

パパはいつから変わったのだろう。いや、一見パパは変わらない。いつも静かで、いつもジェントルマンだ。が、どこかが変わって、それでママが泣くようになったのだ。

あの日の食卓は凄かった。凄いというのは、きっとああいうことだろう。

会社から帰ってきたパパが、いつものように口をゆすいで、手を洗い、食卓についた。

ママは、

「お帰りなさい」

ともいったし、にこやかに、

「あたたかくなりましたわねえ」

ともいった。が、食卓にはご飯と味噌汁だけだった。しかも空《から》の汁《つゆ》だ。実は何もない。

料理自慢のママは、どんなに忙しくても、魚か貝のフライに野菜サラダぐらいはつけるのだ。それにポタージュか味噌汁は無論欠かさない。忙しくなければ、その上、いもの煮ころがしだの、トンカツだの、まるっきり作法に反したメニューだが、とにかく食卓を賑わすのだ。

が、あの日は、ご飯と実のない味噌汁をおいただけで、にこにこしていた。パパはだまって食べた。わたしはパパが気の毒で、おのりを焼いたり、目玉をつくったりしたが、ママは平然としている。

珍しくその日は早く帰ってきた兄貴が、

「ママ、ママはきっと、インドやアフリカの、飢えている人のことを考えたのだね。うん、こういう食事も、ぼくたちには時に必要なんだ」

といって、わたしに、

「ぼくは、のりも目玉もいらない」

と断わった。ママは何もいわずに、ににこしていたが、パパが黙々と食べているのを見ると、突然、パパの茶碗をとり上げて、床にはっしと投げつけてしまった。

パパはママをじっと見つめていたが、それは少しも怒ったまなざしではなく、むしろ、あわれみを乞うような、悲しい目の色であった。兄は黙ってわたしをつつき、向こうへ行こうと目で合図した。きっと、この場はママとパパの二人にしておいたほうがいいというのだろう。

兄と二人で外へ出ると、五月の夕焼け空が、かなしいほど美しかった。兄は例によって、

「おい、あの女の子のふっくらとした足を見な。男は全く、女の足にほれるんだなあ」

と、ちゃらんぽらんなことをいっていた。

わたしはふっと、髪の長いあの妖しい人を思い出していたが、別のことをいった。

「ね、お兄さん、小指は何の役に立つの？」

といったら、

「小指がなきゃ、指きりげんまんができないじゃないかよう」

と兄が笑った。

「なあるほどね。でも、どうせ指きりしたって、人間はたいてい約束を守らないじゃないの。守りもしない約束なら、はじめからしないほうがいいわ」

「人はね、約束は守りたいのさ。でも、いろいろと家庭の事情でさ、守れないのさ。でもね、そうとわかっていて、約束してほしいものなんだ、人間はね」

二人は豊平川の堤防に上がった。川に夕焼けが映っていた。二人は、父のかつての「第五シンフォニィの川」は、挑むようにきらきら光っていた。子供の時のように、

「あした天気になあれ」

と、サンダルを投げた。何だか子供に返りたかったのだ。

兄のサンダルは裏返しになり「雨」。わたしのは表が出て「晴」となった。

三

どんなに親しい関係にあっても、それは、いつ崩れるかわからぬという危機を持つ。問題は、その危機を感ずるか、否かなのだ。親子にしても、夫婦にしても、友人にしても、恋人同士にしても、そして学園の教師と学生にしても。

決して、自分を裏切らないという存在はない。自分もまた、決して人を裏切らぬという確信のないように。

あれからずっと、毎日のように、わたしはあの人のことを思っている。喫茶店で会っただけの、あの行きずりの人が、なぜこんなにもわたしの心を捉《とら》えるのだろう。

あの日、あの人は白を着ていた。でもあの人は、本当は黒の似合う人だ。わたしはそんな気がする。どんな家に住んでいるのか。なぜか、彼女には家がないような気がする。一戸建ても、マンションも安アパートも、あの人には似合わない。要するに彼女は、何かの妖精のように、海の上に寝ているなどというのが似合うとわたしは思うのだが。

ママはこの頃、お酒を飲まない。ひどく淋しい顔をして、せっせと庭の花壇をととのえたり、料理をつくったりしている。もちろん空汁《からつゆ》なぞはつくらない。何か必死に耐えてい

るようで、わたしは、

「ママ、かわいそうね」

　と、その肩を抱いてやりたいような気がするのだ。

　ママは、パパと結婚するまで、苦労をしたことのない人なのだ。生まれたままの、きれいな気持ち……人間は生まれた時から、心が純かどうかは、疑わしいけれど……で、人を疑うことを知らなかった人だ。

　いや、パパと結婚してからでも、わたしが中三の時、つまり、ママがお酒を飲みはじめる頃まで、ママはそんな無邪気な人だった。だから、誰にでも好かれたり、誰をも好いた。ママは親切で、その親切も並ではなかった。こんなことがあった。

　その日、ママは五時には街から帰ってくるはずだった。日曜日で、みんなはママが買ってくるはずの肉やら野菜やらを待っていた。が、ママは五時になっても、五時半になっても帰らない。もしかしたら交通事故にでも遭ったかと、不安にかられはじめた頃、

「ただいまあ、遅くなって、ごめんなさい」

　とママは朗らかに入ってきた。

「どうしたの、ママ」

　三人は玄関に飛び出した。パパはどんな時でも、あわてることのない人だから、飛び出

すなどということはしないけれど、でも、その時ばかりは、そう形容してもいいほどの迎え方だった。

ママはのんびりと、

「あの、あそこでね、バスを降りたら、八十ぐらいのおばあちゃんが、青信号になっても渡れずに、うろうろしていたの」

「ママは、それで手を引いてやったというわけかい。でも、それだけでこんなに時間はかからないだろう、ママ」

心配していた兄は、常日頃に似合わず、不機嫌にいった。

「一旦は手を引いて渡ったのよ。でもね、本当によたよたしていらしてね。あんまり心配で、タクシーを拾って、手稲《ていね》まで送ってきたのよ」

「手稲まで？」

「ママが行かなくても、乗せてあげたら、それでよかったじゃないの」

「それはそうだけど、もしも運転手さんが面倒がって、お家を探してあげないと困るでしょ？」

「やられた！」

兄は大仰に、じゅうたんの上にひっくり返って見せた。

ママには、もともとそんなところがあって、パパもこんなママを心から愛していたはずなのだ。いや、今だって愛しているように思うのだけれど、ママが時々拒絶反応を示すのだ。するとパパは、悲しげにじっとママを見つめているだけで、何もいわない。パパが変わったのはここなのだ。以前なら、

「おや、ママらしくないよ、それは」

とか、

「へえ、ママでもそんなことをするの」

とかいって、やさしくたしなめたはずなのに、パパはもう何もたしなめなくなったのだ。いったいそれはなぜか？　わたしにはそこがわからないのだ。パパは相も変わらず、酒もタバコものまず、外泊もしない。社用で時々出張したり、遅くなるのも以前と同じ程度の回数だ。わたしたちには、パパ自身は少しも変貌していないように見えるけれど、きっと、どこかで変わっているのかも知れない。だから、あの幼な子のようなママが、お酒を飲んで泣くようになってしまったのだ。

が、もしかして、わたしのこの推理は、まちがっているかも知れない。あの空汁事件？の何日かあと、ママはいったのだ。

「早苗ちゃん、あなたはママが苦しんでいるのに、ただ、だまって見ているだけなのね」

「でもママ、わたしママに、どうしてあげたらいいのよ」

本当のところ、わたしは誰の傷にもふれたくはないのだ。

「ママはね、早苗ちゃん。ママは、パパに愛してほしいのよ」

そういってママは、わたしの顔をじっとのぞきこむようにした。目がうるんでいた。

「パパは、ママを愛しているじゃない」

「ううん、愛してはいないのよ」

「そうかなあ、そうは見えないけどなあ。でもそうだとすると、パパって悪党なのね」

途端にママは激しく首を横にふり、

「ちがう！　パパはいい人なの。あんまり……あんまりいい人すぎるの」

と、ちゃぶ台の上に顔を伏せて、むせび泣いた。

結局、ママもわたしには全部をいえはしなかった。何がママを苦しめているのか、やはりわたしにはわからない。

もしかして、ママはとり返しのつかぬ過失でも犯したのではないか。それとも、どちらも悪いのだろうか。わたしには、パパもママも、真面目な人たちに思われるのだけれど。

今朝、ごはんを食べながら、テレビを見ていたら「お早う、北海道の皆さん」という対談番組があった。

「きょうは、札幌在住の新進詩人、沢謙三さんをご紹介いたします」

とアナウンサーがいった。わたしはハッとした。あのベンツの人だ。わたしは思わずママを見た。ママは伏し目のまま食事をしている。兄が、

「ほう、沢謙三か。この人、パパの会社の社長の三男坊でしょう」

と詳しい。

「うむ」

パパは、トーストにバターをぬりながら、うなずいた。

「この頃、随筆なんかも書いているよね」

「そうかね」

ママは黙って、パンをむしっていた。

「それにしてもいいマスクだ。新劇の俳優のようだな」

この人のベンツに、母が乗っていたことを兄は知らない。パパは知っているのだろうか。

テレビを見ながら、黙々と食事をしている。

アナウンサーがいった。

「独身でいらっしゃるそうですが、まだしばらく独身を楽しまれますか」

ママの目がちらりとテレビに行き、すぐにまた伏し目になった。

「独身を楽しむとおっしゃられるほど、楽しんでもおりませんが」

いい声だ。男性的なバリトンだ。鼻筋が通っていて、横を向くと、日本人離れのした顔になる。

「そうでしょうか」

アナウンサーは愛想のよい笑顔を見せたが、何となく、

「嘘をおっしゃい」

という感じの声音《こわね》だった。

「もてるよ、この男は」

兄はいい、

「ママ、この人の詩、読んだことがある」

と聞いた。

「いいえ」

ママはちらりとテレビを見た。

詩人は腕を組み、うつむいて、

「詩は遠すぎます」

といっていた。

あるいは、

「死は遠すぎます」

といったのかも知れない。

パパは何か考えていた。その証拠に、からになったミルクカップを、しきりにぐるぐる廻していた。

「この人の詩はね、ちょっとおもしろいんだ。化学方程式なんて出てきてさ」

ママはうなずき、しきりに指で、食卓のふちをこすっていた。人間というのは、それぞれ断崖に立たされているような存在だと、わたしは思った。

この頃、わたしは学問に不信の念を抱きはじめている。それはパパを見ているからだろうか。パパは勉強家だ。ちょっとしたフランス文学者よりは、ずっとすぐれている。造詣《ぞうけい》が深い。だが、それが一体、この世の誰を幸せにしたのだろう。

学問は絶対的に必要なことか、それとも、相対的に必要なことか。もし、学問が真理だとしたら、それは絶対的に必要でなければならないはずだ。

しかし、わたしは自分の学んでいるものを、絶対的に真理だという確信がなくなった。真理の追求と幸福は、一致しなければならぬ。これはわたしの持論だが、この持論の幼さの故に、確信がなくなってきたのであろうか。ある詩人のいった、

「学問は幻想にすぎない」

という言葉が、この頃妙に気にかかる。

学問は真理だと学者はいう。

神は真理だと宗教家はいう。しかし、これをイコールでつないで、学問は神だということができるだろうか。

ニーチェは「主体性が真理」だといった、人間の数ほど真理があると。

古本屋で岩淵辰雄の「軍閥の系譜」住本利男の「占領秘録」を買った。自分の生まれた日本という国が知りたいのだ。わたしが中世を学ぼうとするのもそのためなのだ。日本を知ることは、わたしにとって、自分を知ることにつながるはずなのだ。自分を知るということは、他の人を知ることにつながり、人の幸せにつながるという図式のはずだった。が、現実のわたしは、わが家の真の姿を知ることにすら怯懦《きょうだ》である。ママの涙が、あんなに流されているというのに。

黒いベンツの主に会おうか。ふっとわたしはそう思った。あの沢謙三が一つの鍵を持っているはずなのだ。でも、本当は、その前にパパに尋ねたほうがいいのではないか。パパこそ鍵を持っているはずなのだから。

第一章　燈のない部屋

第二章　霧雨の日

第二章　霧雨の日

一

小雨の降る庭を眺めながら、あの詩人の沢謙三に会いたいと思った。それは庭の苔に、あんまりこまかなこまかな雨が降り注いでいたからだ。びろうどのような緑の苔と、こぬか雨。これまた、何と力の均衡した世界だろう。少しも揺ぎのない世界。美しいと思う。

「わたしの詩を見てください」

そういって、訪ねてみようかと思う。

それとも、

「詩のことは、ちっともわかりません」

といってみようか。

でも、十代の女の子が、詩を一度もつくったことがないなんて、それは舌をかみたくなるような恥辱《ちじょく》ではないだろうか。

わたしは尾崎道子の詩を口ずさんでみた。彼女は、年は二十歳のようにも見え、四十歳のようにも見える年齢不詳の女性。児童劇団のリーダーで、民芸品店の女あるじで、いつ

もにこにこ笑っている。彼女に会うと、

（もしかしたら、この世は、本当に喜びに満たされているものではないか）

と、あわてて自分も笑ってしまいそうになる。そんな彼女の「会話」という詩はこうだ。

きちんとものを言えば
崩れそうな象があって
だから会話は
はずみをつけて
他愛なく続くのです
散々喋って
笑いあったあとの
ふっと溜った目尻の涙
あれはなんとにがいことか

あの詩を読んでから、わたしは人が楽しそうにしゃべったり、笑ったりしているのを見ると、

（ふっと　溜った　目尻の涙　あれはなんとにがいことか）

と、いつのまにか心の中でつぶやいている。

ところで、わたしの詩、こんなのはどうだろう。

　　絵の具箱
白い色　これは雪をとかしてできたのです
金色　これは子供の笑いからつくったのです
灰色　これはあくびを集めてできたのです
赤い色　これはあなたを思うわたしの心からしたたった色なのです

さまにならない。げらげら笑ってしまう。

詩は作れなくても、詩人を訪問する自由はあるだろう。わたしは電話帳をめくってみた。テレビで独身と聞いていたが、あった。わたしはその住所を書きとめた。

とにかく、わたしとしては、ママを乗せて運転していたあの男性に会いたいのだ。その人が詩人であることは、今は問題ではない。ママがその人の車に乗っていたということが問題なのだ。

あの日ママは、飲んでベロベロに酔い、けらけらと笑った。いつものように泣いたりはしなかった。それはなぜか。それが知りたいのだ。

詩人は、パパの会社の社長の三男だと聞いた。パパは庶務部長で十七万の給料をもらっている。パパに十七万くれる社長の息子は、一体何をしているのだろう。

わたしはそう思いながら、雨の中を、傘もささずに外に出た。霧のように細かい晩夏の雨の中を、傘などさすことができるだろうか。それじゃまるで、霧の日に傘をさすのと同じくらい滑稽《こっけい》じゃないか。

わたしはそう思って、街へ出たのだけれど、日曜の午後の街は洋傘で溢れていた。霧雨の中をぬれて歩くなんて、しゃれたセンスだと思うのだけれど。

大通りのバスターミナルでバスを乗りかえわたしは琴似山《ことにやま》の手行《て》に乗った。バスに乗ってからも、わたしはあの詩人の職業を考えていた。「新進の詩人、沢謙三」と、時折、新聞の見出しなどで見たことはある。でも、余り関心がなかったから、この人の詩を読んでいないし、詩集が出たことも聞いてはいない。だから、多分詩で食べているという人ではないだろう。

（お医者さんかしら）

わたしはふっと思う。医者だとしたら、外科などじゃない。多分あの人は、小指の爪などを長くしていて、メスなど持ったら手がふるえるにちがいない。少しひやりとした長い指で、患者の胸を打診して、目は一点を悲しげに見つめている、そんな内科医がふさわしい。

そう、もしかしたら、小児科医かも知れない。赤ちゃんの泣声は天使の言葉だ。天使の言葉を聞きわけるのが、詩人というものだろう。

それとも、あの人は、自分の父親の商社につとめているのだろうか。でも、パパはあまり知ったふうではなかったから、そうじゃない。もしかしたら、大学につとめているのかも知れない。としたら、無論、教授でも助教授でもない。講師でもない。研究室員というところかしら。でも、薄給でベンツを乗り廻すかしら。

バスから見る手稲山《ていねやま》が煙っている。歩道を車椅子に乗った少年が、一人で車を運転していた。口もとをきりりとしめて、賢そうな少年だった。なぜか、少年の廻りだけ、雨が降っていないような、そんな明るい感じがあった。

気がつくと、そこは病院の前で、窓から患者たちが三、四人、寝巻姿で少年の車の運転を見守っている。その一人が、口に両手を添えて何かいっている。

「がんばれよう」

とでもいったのだろうか。

わたしはその時から、心がしゃんとした。詩人に会うというので、意気地なく騒いでいた心が落ちついた。

雑貨店の前でバスを降りた。店で家を尋ねようと思ったが、わたしはやめた。自分で尋ね当てたかった。どうせ、ベンツを持っているぐらいなのだから、デラックスなマンションか、バリッとした一戸建に決まっている。わたしは街角の番地を見ながら、ゆるい坂道を歩き出した。

が、見たところ、バリッとした家はない。グリーンマンションと、名だけはマンションの木造モルタルのアパートや、二戸建の家や、色あせたトタン屋根の一戸建などばかり。もしかしたら、番地をまちがえたのかも知れないと思って、坂道を戻りはじめた時、左手の三戸建の端に、「沢謙三」の表札がかかっていた。

わたしはおどろいて立ち止まり、少しあとずさるようにして、その表札を改めてみた。傍らに車庫はある。が、家の間数は、一見して下が六畳か八畳ひと間、上が四畳半に六畳と見える。どこにもあるようなアパートだ。

まあ、家などはどうでもよい。わたしは、母を車に乗せた男の人に会いに来たのだ。

表札の下の、白いボタンをおそるおそる押すと、わたしはそっと、ドアのノブに手をかけた。ドアは簡単に開いた。

とたんに、わたしはあっと声を上げた。喫茶店で見かけた、あの人が立っていたのだ。

あの女の人が、黒い仔猫を抱き、うすい唇に微笑をたたえて立っていたのだ。

明るいブルーのVネックのセーターに、同色のスラックスをはいたその姿が、ぞっとするほどシックだった。ちょっと斜めに身をかまえ、あの腰までの長い黒い髪が、ブルーの色に実にぴったりだった。

おどろきのあまり、何をいってよいのかわからぬわたしを、その人は長いまつ毛をねむるようにかげらせて、半眼でじっと見ていた。

「どなたですか」

とも、

「何のご用でしょう」

ともいわないのだ。わたしはもう舌をかんで死にたいような（汝、この口ぐせに気をつけよ）恥ずかしさとうれしさと、そして淋しさとで、ごちゃまぜの思いになりながらいった。

「あの……沢謙三さんのお宅はこちらでしょうか」

その人は、かすかにまつ毛を上げて、ちらりと目でうなずいた。

「表札を見ればわかるじゃないの」

そう笑われそうで、わたしはあわてて、

「あの……沢さんはいらっしゃいますか」

と尋ねた。その人の目が、再びちらりと動いた。「いません」というまなざしだ。

わたしは落胆した。今、沢謙三がいなければ帰らねばならない。けれどもわたしは、もう沢謙三がいてもいなくても、この人と話ができればと思った。

「あの……」

また「あの……」だ。何というべきかわからずに、わたしはその人の、うすいが形のよい唇を見た。

（なぜ、この人は口を開かないのだろう）

その人は黙って立っている。

ふいに、わたしはその人がきらいになった。もうほとんど、九十九パーセントまできらいになりかけていた。わたしは、

「おじゃましました」

といい、くるりと背を向けた。その時、

「ねえ、この猫、めすかおすか、わかって？」

「え!?」

おどろいてわたしはふり返った。いつかこの人が、喫茶店でその友人たちに、

「人間は本当に、男と女の二種類しかないのだろうか」

といっていた言葉を思い出して、わたしは答えた。

「猫には、おすとめすの二種類しかないのでしょうか」

その人はふっと笑った。白い歯がきらりと光った。高村光太郎なら、（レモンをかりりとかませたくなるような）白い清潔な歯だ。

「お入りにならない？」

その人はいった。

「え？」

突如、目の前に天国の門が開かれたようなおどろきで、わたしは聞き返した。

（いったいこの人は、沢謙三の何なのだろう）

たしかあの日、テレビの中でアナウンサーは、

「独身を楽しんでいらっしゃるようですが」

と沢謙三に話していた。としたら、この人は奥さんではない。こんなことなら、兄に内緒にしたりせず、詳しく聞けばよかったと思いながら部屋に入った。

そこは八畳のリビングキッチンでソファがテラスのそばにあり、部屋隅の机の上には電話機と、本が四、五冊無造作に重ねられていた。冷蔵庫とガスレンジが真っ白で、その人の歯のように清潔だった。あとは、テレビもステレオも何もない。何もないということも、

すてきなインテリアだと思いながら、ぼんやり立っていると、その人はソファにすわって、

「おかけにならない」

といった。わたしはママの涙も忘れて、その人の傍にすわった。ソファが一つっきりしかないので、隣りに並んですわるしかないのだ。

「お邪魔します。わたくし三木早苗と申します。三木は、一、二、三の三に、樹木の木です。どうぞよろしく」

新入社員のようにコチコチになった。

その人はうなずき、机の中から紙と鉛筆を出し、「桐井奈津子」とさらさらと書いて見せた。とたんに、わたしが「あの人」「その人」と呼んでいた人が、下界に降り立ったような、妙な感じがした。名前がないほうがふさわしいような人なのだ。

桐井奈津子は、何しに訪ねてきたとも、どこに住んでいるかとも、学生かオフィスガールかとも何も聞かなかった。この人にとって、人間がどこに住んでいるかとか、学生か勤め人か、とかいうようなことは、大きな問題ではないらしかった。

「ねえ、早苗さん。あなたアンニュイという言葉は、どの年代に最もふさわしいと思って?」

(十代のアンニュイ、四十男のアンニュイ、八十歳のアンニュイ……)

わたしは胸の中で、一つ一つ確かめるように考えながら、

「四十代かしら」

　と答えた。十代はエネルギーがあって、したいことがたくさんあって、アンニュイを感ずるひまがない。老人には残る時間が少なくて、一日一日が「今日限り」のような危機感があって、倦怠を感ずる暇がない。

　でも四十代は、一応することはし、先も見えて、生活に疲れを覚えているにちがいない。生活そのものにも新鮮さがなくなって、一番倦怠を感ずる頃ではないかしら。

「四十代？　ということは、あなたはアンニュイをあまり感じていないということね」

「ええ、あまり」

「幸せね。わたしは、アンニュイという言葉は、どの年代にもピタリのように思われるのよ」

　と、膝の上の仔猫の頭をなでた。

　では、この人は、人生に倦怠を感じているというのだろうか。わたしは信じられないような気がした。この人は、絶海の孤島に一人住んでいても、決して退屈などしないような、そんなふしぎな豊かさに溢れているような気がする。わたしは、この人が、孤島の浜にねそべりながら、砂の上に詩を書いている姿を想像した。

「あの……わたし一度、あなたを見たことがあるんです。サイロという喫茶店で……」

「ああ、サイロ」

おどろきもせずにいう。

「それからずっと……あなたのことを思い出していたんです。だから、もう、びっくりして……」

「そう」

そっけなくいって、膝の仔猫をわたしとの間に置いた。仔猫は小さく「ニャー」といって、ソファをおりた。

「あの……沢謙三さんは、何のお仕事をしていらっしゃるのですか」

「…………」

黙ってわたしの顔を見、彼女は白いレースのカーテン越しに庭を見た。二坪ほどの小さな庭に、赤と黄のダリヤが咲いていた。

「何のお仕事だと思って？」

「お医者か、大学の研究室にでもと思ったのですけれど……」

奈津子さんは低く笑って、

「あの人はね、殺し屋よ」

といった。

「殺し屋？」

おどろくわたしに、

「ま、人間はみな、殺し屋みたいなものよねえ」

とまた低く笑った。全く、この人の声といったら、何とまろやかで、そして女王のような気品があるのだろう。この人が「殺し屋」というと、その「殺し屋」がひどく優雅なナイトのような響きさえ持つのだ。この世の、さまざまな聞くに耐えない言葉だって、この人の唇から出るならば、ずいぶんとめかしこんだ言葉に変わってしまうのではないかと思われるほどだ。

「沢謙三は、高校の先生よ」

「え？　高校の？」

「そう」

「じゃ、国語を教えていらっしゃるのですか」

「そう。今年の四月から……。それまでは大学の研究室にいたのよ。でも、お父上とけんかして、すねかじりもできなくなったの」

　沢謙三が高校の先生と聞いて、何となくわたしはほっとした。

「だいたい、今までがいけなかったのよ。詩人が親のすねかじりをしてるなんて、そんなの堕落じゃないかしら」

そうかも知れない。が、それはともかく、この人は沢謙三のいったい何なのだろう。と思った時、彼女はわたしにいった。

「あなたも詩をつくるの?」

「いいえ」

わたしはあわてて首を横にふった。

「ファンなのね」

「いいえ」

こんどは、かすかに首をふった。

「あの……」

いいづらかったが、思いきって、

「あなたは、沢先生と同棲していらっしゃるのですか」

奈津子は、目を大きく見開いてわたしを見、そして笑った。はじめは低かった笑い声が次第に高くなり、そしてふっと途切れた。

「ごめんなさい。失礼なことをいって」

「ううん、ちっとも失礼じゃないわ。彼がるすで、わたしが一人この家にいたら、ま、奥さんか同棲している女かと思うのが常識よね。わたしはあの人のニースなの」

「ま、じゃ叔父さま?」

「そう、気の合う叔父と姪なの」

わたしは何となくほっとした。

「あと、二時間ぐらいたたないと、彼は帰らないわ」

それまで待てということなのか。それとも、もう帰れということなのか。戸惑ったが、わたしは立ち上がった。あの人は引きとめなかった。ソファから立ち上がろうともしなかった。

二

結局、わたしは沢謙三に会うことができずに、外に出た。と、そこに黒いベンツが帰ってきた。

「あと二時間しなきゃ帰らない」

と彼女はいったのに、沢謙三はちゃんと帰ってきた。

わたしは、彼が車の外に出てくるのを待った。が、彼は車に乗ったまま、じっとわたしを見つめている。どこか非情で、どこか優しいまなざしだ。わたしがお辞儀をすると、窓をあけ、

「ぼくを訪ねてきたの」

といった。

「はい」

「ぼくの学校の生徒だった？」

「いいえ」

「お名前は」

「三木早苗です」

「三木⁉」

表情が変わった。

「お乗りなさい。車の中でお話を聞きましょう」

わたしが呆然としていると、彼は運転席のドアを開けてくれた。

「うしろに乗ります」

「どうして？」

「そこには、ママが乗っていましたから」

彼は黙って、うしろのドアを開けた。

その時、玄関のドアが開いた。彼は奈津子さんに、

「何だ、まだいたの？」

といった。堅い声だった。

「いけない？」

「いけないことはないが……」

彼女のいった、気の合う叔父と姪の会話には、思えない。

彼は静かに車をスタートさせた。奈津子さんはドアに背をもたせたまま、見送っていた。

「何しにいらしたんです」
　二、三分黙って走らせてから彼はいった。
「ママのことが知りたいんです」

「…………」

「あなたは、ママがいつもお酒をのんで泣いているのをご存じですか」

「…………」

「パパが何もいえずに、おろおろとママを見守っていることをご存じですか」

「…………」

「でも、ママは、あなたとお会いした日だけは泣かなかったのです。そのことをご存じですか」

「…………」

「ね、教えてください。ママは何が辛くって泣いているのか、ご存じなら教えてください」

　何と端正な顔だろう。加藤剛に似ているとわたしは思いながら、バックミラーに映る彼の顔を見た。

「知ってどうするんです」

　きびしい声だった。

「どうするって……」

「知ったからって、人間にはどうして上げようもないことがあるのですよ」

少しやさしく彼はいった。バックミラーの中で目が合った。ドキッとするような、かなしみに満ちた目だ。

「でも、同じ屋根の下にいて、何も知らずにいてもいいのでしょうか」

「人間は神さまじゃありませんからね。人の心の中を全部知ろうとするのは、傲慢ですよ」

ぐっと語調がやさしくなった。

「そうでしょうか。傲慢でしょうか」

「と、ぼくは思いますけれどね」

「でも、わたしはママのことを知りたいんです」

「あの人だって、あなたに知ってほしければ、話しますよ」

「先生にはお話したのですか」

「………」

車はいつか国道を走っていた。小樽方面へ行く対向車がひしめいている。霧雨が上がってうす日がさし、少しむし暑い。

「ママはどこで先生と……お知り合いになったのかしら」

「………」

わたしの聞きたいことは、一切ノーコメントなのだ。

「早苗さん、それよりぼくは、君のことを知りたいな」

「…………」

「君はとってもかわいい人だ」

「子供扱いなさるのですか」

ふっとわたしは悲しくなった。

「君は詩をつくる？」

「詩なんか、大きらいです」

「うそおっしゃい」

言下にいわれた。

「ぼくは一目で、詩をきらいな人間か、どうかわかりますよ」

「詩人なんか大きらいです」

「かわいい人だ」

彼はいい、

「君のママもかわいい」

といった。

「ママをお好きなの？」

「…………」

「わたしは、あの姪御さんが好きです」

「…………」

「姪御さんじゃないんですか」

「姪です」

　重苦しい声になった。が、ちょっとうしろをふり返り、すぐまた前を向いて、

「あの子に近づくと、やけどをしますよ、男でも女でも」

　といった。

「あら、あの方は、あなたを殺し屋だとおっしゃっていましたけど……」

「殺し屋？」

　笑うかと思ったら、彼は淋しそうな顔をした。というより、苦しそうな顔といったほうがいいかも知れない。

「あの方はすてきな方よ、妖精みたい」

「君は恋をしたことがあるの」

　彼は別のことをいった。

「ないみたい」

「ないみたい？　おもしろい返事ですね」

「先生は？」

「ないみたい」

　笑ってごまかした。

「先生はありますわ。すごく苦しい恋愛をしてるみたい」

　信号が赤になった。

「ね、そうでしょう」

「………」

（もしかしたら、お相手はうちのママ？）

　いいたい思いをこらえて、わたしはふいに泣きたくなった。

　沢謙三という詩人に会うために、昨夜一晩眠れぬ思いをし、緊張しきって出かけたというのに、何ひとつママのことはわからなかった。

「知ったからって、人間にはどうして上げようもないことがあるのですよ」

　といわれれば、わたしはもう何もいえないのだ。

「早苗さん」

しばらく走って彼はいった。

「何でしょう」

「このベンツは、今日限り売ってしまうんですよ」

「まあ、お売りになるのですか」

「こんなのに乗っていると、ガソリン代がかかってしかたがないですからね。それはともかく、誰を最後に乗せることになるかと思っていたら、どうやら君らしい」

わたしはふっと、この人は何人の女性をこの車に乗せたのだろうと思いながら、

「でも、あの奈津子さんを送って上げるのでしょう」

といった。

「…………」

彼はまた黙った。

「ああ、わかったわ」

「何が?」

「あまりあとまで、思い出の残らないわたしなどが最後だといいのよね、きっと」

ちょっと間をおいてから、

「誰よりも、君が思い出の人になるかも知れませんよ」

といった。

「お会いしたばかりで？」

「これからも、お目にかからないというわけではないでしょう」

こんな言葉にわたしは弱いのだ。

「もうお目にかかりませんわ」

わたしは反対のことをいった。

「なぜです」

「だって、わたしが伺いたいことは、みんなノーコメントなのですもの。わたしだって、もう大学生ですもの子供扱いはいやですわ」

「あわてて大人になる必要はありませんよ。全人類の何十パーセントかは、もう一度十代になってみたいと思っているでしょう。その年齢なのですよ、君は」

「あら、わたしは早く四十代になりたいのに」

「どうして？」

「四十代になったら、もう、死にたいなんて思わないでしょう」

「死にたいの？　君」

おどろいて彼は、ちょっとうしろをふり向いた。と、その瞬間、わたしは激しいショックに気を失った。

入院して二十日経った。

彼が、ちょっと脇見をしたところが十字路だったのだ。右手からきた車もよそ見運転で衝突したのだという。幸い彼は軽傷だったが、わたしは肋骨を折った。

ママもパパも、真剣に心配はしてくれたが、

「なぜ、沢さんの車に乗っていたの」

とは一度も尋ねてはくれなかった。兄だけが、

「沢さんのファンだったとは知らなかったなあ」

とか、

「ベンツだから助かったんだよ」

とかいった。

沢先生は、ちょっと腕を痛めただけだといい、ほとんど毎日見舞いに来てくれた。

二十日間、二学期早々にかけて、わたしはベッドで何を考えていたのだろう。

「死にたい」

などといったとたんに、車がぶつかった。もしあの時、わたしがあんなことをいわなけ

れば……。いや、あの日、わたしが沢先生を訪ねなければ……。そんなことをくり返し思っていたような気がする。

とにかく、人生にはピリオドは唯一つで、あとはコンマ、コンマ、コンマの連続だという思いがしきりにした。最後の終止符を打つまでは、人生いろいろなところでコンマが打たれるのだ。

第二章　霧雨の日

第三章　花びらの世界

第三章　花びらの世界

一

今日もノックの音と、体温計のカチャカチャと罐《かん》の中でふれ合う音で目がさめる。そっと息をしてみる。まだ胸が痛い。体温計を舌の下に入れる。ほのかに冷たい硝子の感触。薄い硝子の味は、ひどく淋しい味だ。

わたしは体温計を口に入れたまま、床頭台《しょうとうだい》の野菊を見た。昨日、沢謙三センセイが持ってきてくれたのだ。濃紫の野菊をじっとみつめていると、野原に屈んで、この野菊を摘んでいる先生の姿が目に浮かぶ。先生はこの野菊を摘みながら、どんな表情をしていたのだろう。淋しい表情か、うれしい表情か。わたしは何となく、苦しい表情をしていたような気がする。

それは誰を思ってであろう。ママのこと？　ではない。桐井奈津子のこと？　かも知れない。わたしのこと？　まさか。

じっと野菊を見ていたら、針の先でつついたほどの、点のような小さな虫が、小さな花びらの上を歩きまわっている。花一つとしても、僅か二センチ四方の世界。何とせまい世界に生きていることか。

考えてみると、この宇宙の何十兆億、いな、無数の星の中の、地球の中で、札幌市という街に生きているわたしが、二センチ四方の花に住むこの虫のような存在にも思われる。父、母、兄、何人かの友だち、先生。そして沢謙三とその姪の桐井奈津子。たったこれだけの僅かな人たちの中で、わたしは幸せを感じたり、不幸を感じたりしながら生きている。

たった今、この地球から、この人たちが一度に死んでいなくなったって、この世の大勢に何の変化もない。そんな、ひとつまみの人の中で、苦しんだり喜んだりして生きているなんて、ひどく、ちっぽけな人生みたいだけれど、でも、これがわたしにとっては、かけがえのない人生なのだと、野菊を見ながら思う。

ところで……とわたしは、妙なことを思いついた。まったくの話、人間というのは、ひょいひょいとへんてこりんなことを思いつく。時には滑稽な、時には冷酷なことを、ひょいと思いついてしまう。

(もし、わたしとかかわりのあるこのひとつまみの人間の中で、どの人がいなければ、わたしは本当に生きられないか)

わたしはそう思ったのだ。

父だろうか。父のいない世界をわたしは想像してみた。それはひどく空虚で、がらんとした暗い倉庫のような世界だ。しかしわたしは、父がいなくても生きて行く自分を、想像できないことはない。

母は？　母のいない家庭……。それは冷え冷えとして、何の物音もしない世界のように思われる。けれども、わたしは多分死にはしないだろう。だって母に代って、食事の支度をしている自分が目に浮かぶもの。

兄のいない世界。きっとみどり色を失った自然のように、色あせた風景になるだろう。でも、わたしはやっぱり、兄の分まで生きようと頑張るだろう。大事な、大好きな兄だけれど。

サチ子やヨリ子が天に去ったら、わたしはワアワアとばかみたいに泣くだろうけれど、多分半年も経たぬうちに、恋もするし、音楽会にも行くんじゃないかと思う。

桐井奈津子、沢謙三。この二人の存在は、今のわたしには、まばゆい光のような存在で、ある時はこのまばゆさから逃れたくなる。ということは、死んでくれたら、ほっとするかも知れないということだ。

こう考えてくると、わたしは誰が死んでも、やっぱり生きて行くということになる。つまり、「誰か無し」では、生きて行けないということはないことになる。それはまた、世の中の誰一人として、このわたしがいなければ生きて行けない人など、いないということ。

父だって、母だって、わたしが死んだなら、そりゃあずい分と悲しむだろうけれど、決して自殺などはしないだろう。

この世の誰も「あなたなしでは生きていけない」といってくれる人がいないなんて、何と淋しいことだろう。もし、わたしが、あの事故の時、即死していたとしたら……。今頃サチ子やヨリ子の涙はもうかわいていていて、

「早苗ったら、ベンツになんか乗るからよ」

とか、何とかいって、喫茶店でアンミツ二杯平らげて、

「ね、もう一杯食べたいわ」

などといっちゃって、げらげら笑っているかも知れない。

奈津子さんは、二回会ったっきりの女の子のことなど、もうとうに忘れてしまって、あの黒い猫を抱いて、目を半眼に開いて、妖しい微笑を浮かべながら、

「アンニュイという言葉は、どの年代に一番ふさわしいと思う」

などと、沢センセイにいっているだろう。

つまり、わたしが十九年生きていたしるしは、浜べの足あとが波でかき消されるように、他愛なく消されるということだろう。父や母の胸にだけ思い出されていくだけ。それも、「わが子」ということの故にであって、この「わたし」という人間の人格の故にではない。

ひどくむなしい。自分を大事に思っているのは自分だけだ。他の人にとっては、「死んでも、どうっていうことないよ」という存在なのだ。口の中の体温計を、噛みくだきたいような気持ち。

もう、ママが何で泣こうが、パパが何ではらはらしながらママを見ていようが、どうでもいいような気持ち。

二

昨日沢センセイは、野菊の花を持って入ってきた時、ちょっとはにかんだ表情をしていた。母がいないのを見ると、

「お母さんは？」

と尋ねた。

「ママ？　ママはもう帰ったの」

「もう附き添わなくてもいいの」

驚いたようにいう。本当は、ママはちょっと用事で家に帰ったのだけれど、わたしはこっくりとうなずいて見せた。沢センセイの前では、わたしは何となくいたずらっぽい思いになるのだ。

先生はわたしに野菊を見せていった。

「野原で摘んできたんです。この花が好きでね」

「まあ、わたしも好きよ、野菊は」

「なぜ？」

「『野菊の墓』っていう小説があったでしょ」

「だから？」

「かも知れない。でも、あの小説がなくても好きよ。先生はなぜ好きなの」

「なぜだと思う？」

　沢センセイは、ピアニストのような長い指で……ピアニストの指が長いと決まっているかどうかわからないけれど……ちょっと髪をかき上げた。髪をかき上げるのに、まるまると肥った短い指では似合わないなどと、わたしはつまらぬことを思いながら、

「多分、何か思い出があるのね、野菊には」

　と当てずっぽうをいった。沢センセイはもう、それはびっくりしたように、その大きな目を更に大きくみはって、わたしをみつめたが、

「それもあるけれど……。野菊はあまり店に売ってはいないから……」

「ああ、買うことができないから？」

　わたしとセンセイは、気の合う友だちのように目を見合わせて笑った。でもわたしは、その「売ってはいないから……」といった言葉は、きっと思い出の中の人がいった言葉ではないかと、思っていた。

　ママがそばにいる時は、少しベッドから離れて椅子にすわるセンセイが、昨日はぐっと

傍によってすわってくださった。

「まだ痛む?」

　センセイは、濃い眉をよせて、自分も痛むような表情をした。

「ええ。でも、ずいぶんよくなりました」

「ぼくが悪かった、不注意で」

　センセイはくるたびに何度も同じことをいう。

「いいえ、わたしが悪かったんです。つまらないことをいったから」

　わたしも同じことをいう。でも、本当に、わたしはセンセイが不注意だったなどとは思えない。わたしが「死にたい」みたいなことをいった罰だと思っている。

「いや、あの日のぼくの精神状態は、たしかに悪かった」

　センセイは遠いところを見るような目をした。その、何とかなしみのこもったまなざしだろう。こんな目の人を見たら、悪魔だって同情するにちがいない。

　わたしはもう、むかしっからの親しい友人のような心持ちで……というのは嘘になる。わたしは、本当は、センセイが好きになってしまったのだ。このかなしみのこもった目を見たからではない。それ以前から……。

　わたしは頭を横にふって、

「いいえ、わたしが悪かったの」

　と、くり返していった。

「早苗さん、君はやさしい人だね」

　センセイはいった。

「センセイのほうがやさしいわ」

　大学をやめて、センセイの高校の生徒になりたいような気持ちだ。その時、センセイは突然、黙って手をさし出した。わたしはびっくりして、もうドギマギして、舌を噛んで死にたいほどどうれしくって、恐る恐る手をのべると、センセイはわたしの手を包むように、そっと握ってくださった。

　握手なんて、誰とでもすることで、あんなにドギマギするなんて、まったくの話、舌を噛んで死にたくなるほど……またぞろこの癖が出た……みっともないことだと思うけれど、あれが多分、恋という奇妙な感情の作用だったのだろう。わたしは頬をまっかにしていたかも知れないと思う。

　センセイもびっくりして、

「君は何てかわいい人なんだろう」

　といって手を放したけれど、一九七四年の今の時代に、握手をされて顔をまっかにする

なんて、イヤラシイとわたしは思う。でも、もう怒ったように、

「センセイ、かわいいなんておっしゃらないで。センセイはママのこともかわいいとおっしゃったでしょ。年上の人をかわいいなんて、侮辱しています」

と口走ってしまった。センセイはすごく素直に、

「そうかも知れないなあ」

といい、

「君はママを心から思っているようだねえ」

といった。

「ええ、わたしはママが好きだから、だから、センセイのところにお訪ねしたんです。ね、センセイ。ママは何のご用でセンセイをお訪ねしたんですか」

「それは、ぼくとママの秘密ですよ」

「まあ、センセイとママの秘密?・」

突然わたしは、この世で「秘密」というものほど大きな宝はないような気がした。センセイとわたしが、もし二人っきりの「秘密」を持っているなら……。それは、ダイヤモンドを持っているより、ずっとすばらしことなのだとわたしは思う。わたしはママへの強いジェラシーに、のどが乾からびたようになった。

「そうです。ママは、ぼくを訪ねたことを、誰にもいわないでくださいとおっしゃった。だから……」

「でも、それをわたしが知ってしまったわけでしょ。どうしてセンセイをお訪ねしたか、教えてくださってもいいと思うの」

「どうしても知りたければ、ママにおききなさい」

「だめよ、ママはおさな子みたいな人だから……。また泣き出されては困りますもの」

「じゃ、ママがかくしていることを、知ろうとするのはおやめなさい。それが武士の情《なさけ》というものですよ」

なんと口の堅い人なのだろう。結局は何も聞き出せない。

「じゃ、ただ一つ伺いたいの。ママとお会いになったのは、あの日でいく度？」

センセイは黙ってわたしの顔を見つめていたが、ふいに冷たい表情になり、

「いく度目か数えきれない、といったら？」

と、かすかに笑った。答えに窮していると、

「正確にいうと、二度目です。一度目は駅で、ご夫妻に会ったことがある」

「ま、パパをご存じなの？」

驚いて声を上げるわたしに、

「存じ上げていますよ。おやじの会社の幹部ですからね。家でもいく度かお会いしている」

「まあ」

　わたしは、パパに裏切られたような気がした。が、よく考えてみると、沢センセイがテレビに出た時、兄が、

「この人、パパの会社の社長の三男坊でしょう」

　といったら、

「うむ」

　とうなずいていた。

　それから……そうだ、パパは沢センセイのことは何もいわなかったけれど、テレビを見ながら、からになったミルクカップをしきりにぐるぐる回していた。あれは何かを考えていたのだ。わたしは、パパが何か他のことを考えているとばかり思っていたけれど、もしかしたら、あれは沢センセイのことを考えていたのかも知れない。

「じゃ、センセイはパパとお話をしたことがあるんですね」

「ありますとも。君のパパと二人っきりで、旅をしたこともありますよ」

「まあ！　二人っきりで？　どこへ」

「根室へ」

「いつですの」

「もう七、八年前のことですよ」

「まあ、そんなにも前に……」

わたしは驚いて沢センセイをみつめた。

「知りたがり屋さん。でも、君が知っても仕方のないこと、いや、誰が知っても仕方のないことが、この世にはあるんですよ」

センセイはそういって帰って行った。

初めてセンセイに会った時、

「知ったからって、人間にはどうして上げようもないことがあるのですよ」

と、センセイはベンツの中でおっしゃった。結局は、昨日の結論も同じことなのだ。わたしは、昨日センセイが帰ったあと、ぼんやりとしていた。そのくせ、センセイにそっと握られた手の感触だけが、ありありと鮮明だった。

まもなくママが帰ってきた。

三

ママは美容室に行って、髪をセットしてきたのだ。わたしの好きないなりずしも買ってきてくれた。でも、わたしは不機嫌にママをじろじろと見ていた。

「どうしたの？　早苗ちゃん、痛いの」

ママがおろおろした。そのやさしい声を聞いただけで、わたしはもう、

「ママ、ひどいわよ。沢先生と二人っきりの秘密を持って！」

などとはいえず、

「ちょっと痛むの」

と顔をしかめて見せた。これがいけないのだ。娘が母をいたわるなんて、僭越じゃないかと思いながら、「ママ、きれいになったわ」

なんていってしまったり、まったくこれはご醜態《しゅうたい》だ。ママは、

「悪かったわ。美容室になんか行って、早苗ちゃんを一人にしておいて」

と、あやまっている。ママのやさしさ。このやさしいママを泣かすのは、いったい誰なのだ。パパか。沢センセイか。否、沢センセイではない。センセイがママと話し合ったのは、

あの日がはじめてなのだから。

夕食にいなりずしを食べ、ママが帰ろうとした時だった。ノックの音がした。

「どうぞ」

ママはナースが薬を持ってきたのだと思ったのか、立ち上がらずにいった。するとドアがあき、ひっそりと入ってきたのが、あの人だった。桐井奈津子だったのだ。

「まあ」

わたしは全身に、喜びが走るのを感じた。桐井奈津子はクリーム色のワンピースを着、つややかな黒髪を、やはり腰まで垂らし、立っているだけでも優雅なポーズで、じっとわたしを見つめた。そして、その視線をママに移し、ママの美しさに驚いたように目を見張り……わたしにはそう思われた……ゆっくりと礼をした。

ママは困惑したようにあの人を見、いつものにこやかさも失って、ぎごちなく礼を返した。

「ママ、桐井奈津子さんよ。沢センセイの姪御さんの」

紹介すると、ママはやっと口の中で何やらいい、椅子をすすめた。

「お見舞いにきてくださるとは思わなかったわ」

わたしがいうと、あの人は黙って微笑した。そして、間をおいてから、低い声でいった。

「憩いのみぎわに伴い給う」

「え？」

「憩いのみぎわに伴い給う」

彼女はくり返した。

「何のこと？」

「旧約聖書の詩篇の中にあるの」

あの人は、ちょっとたゆたうような表情になった。

「聖書をお読みになるの？」

「好きなところだけ」

わたしは聖書のことはあまり知らない。で、よその国の人と話をしているような感じになった。

「好きなところをおっしゃってみて」

あの人はわたしをじっと見たまま、

「すべてのわざには時がある。

愛するに時があり、憎むに時がある」

といった。

「どうぞ」

ママが小さな声でお茶をすすめた。

「愛するに時があり、憎むに時がある」

わたしは口ずさんだ。

彼女は床頭台の野菊を見、

「叔父が持ってきたのね」

といった。

「ええ。センセイは野菊が好きなんですって」

「店には売っていないからでしょう」

「え？」

「お金で買えない花が好きなのよ。あの人は」

彼女は笑った。わたしはふいに、なぜ、この人は見舞いにきたのだろうと思った。沢センセイの家を訪ねて、ただ一度会っただけの人なのだ。

「あなたは、なぜお見舞いにきてくださったの」

「それは、あなたが、もう一度会いたくなる人だからよ。憩える人だからよ」

何でもないことのように、彼女はいった。

「え？　わたしが……」

「そう」

　ママは、わたしの友だちがきた時は、いつもそうするように、窓のそばでレース編みをはじめていた。窓の外はたそがれかけていて、ニレの枝の広がりが、いつもより美しく見えた。

「そうよ。あなたは、かわいいもの」

　センセイと同じことを彼女はいう。うっすらと半眼にし、長いまつ毛をかげらせた妖しい表情だ。

（本当だろうか）

　わたしは思い、

「じゃ、どうして今までお見舞いにきてくださらなかったの」

　と尋ねた。

「それは……」

　彼女はいいよどんだ。片頬が少し歪んだ。それがひどく蠱惑《こわく》的に見えた。

「……それはね、わたしも入院していたからなの」

「あら、あなたも？」

「そう」

「何のご病気だったの」

「病気じゃないのよ」

「じゃ、あなたもおけが？」

「ううん」

彼女は淋しそうに笑い、ちらりとママのほうを見た。病気でもなく、けがでもないのに入院することがあるだろうか。人間ドックに入るには少し年が若すぎる。

（妊娠!?）

と思った時、彼女はいった。

「薬を飲んだのよ」

「薬って……」

いいかけて、わたしは突然、去年自殺した高校時代の友人作登和喜子《さとわきこ》を思いだした。和喜子は小麦色の肌をした、健康そうで、しかもオチャメな生徒だった。彼女が現われるだけで、その場が明るくなった。彼女がものをいうと、みんなは笑いこけた。その和喜子が突然自殺したのだ。たくさんの睡眠薬を飲んで。

「じゃあなたは……」

はっと息をのむわたしに、彼女はうなずいてみせた。

「どうして？」

彼女は野菊を見た。

わたしは、彼女の横顔をみつめながら、そのデスマスクを想像した。

それにしても、いったい何が彼女を死に誘ったのか。ふっと、わたしはあの言葉を思い出した。

「人間は本当に、男と女の二種類しかないのだろうか」

彼女はたしかそういっていた。もしかしたら、あの言葉は、彼女の深いところから出た言葉ではないかと思ったのだ。

彼女にとって、男と女という二つの性の存在が、苦しみとなっているのではないか、とわたしには思われた。男であること、女であることから、解放されたいとねがっているような気がしてならなかった。

「奈津子さん、死んではいけないわ」

わたしはママに聞こえないようにいった。

「どうして？」

「人は生きなければならないのよ」

「どうして？」

「死ぬに時あり」

　わたしは、先程の聖書の言葉をもじっていった。彼女はうなずいて、

「人は、その時を知らないのよ」

　といい、

「わたしは、あなたが交通事故にあった時、死ねばよかったと思ったのよ」

　といった。

「え？　死ねば？」

「そう、叔父もあなたも」

「まあ！　どうして？」

　わたしは、彼女が冗談をいっていると思った。なぜなら、彼女の見開いた目は、わたしをやさしくみつめていたから。

「お宅からお電話です」

　ナースがママに告げにきた。ママは、レース編みをわたしのベッドの上におき、

「ちょっと失礼」

　といって、ちっとも急がずに、のろのろと部屋を出て行った。大体においてママは急がないんだけれど、あれじゃまるで、いやな人から電話がきたっていう感じ。

あの人は黙って、やはりわたしをみつめていた。

「帰るわ」

彼女はさっと立ち上がった。と思うと、ふいに身を屈めて、わたしの額の上にその唇をかるく触れた。はっと身を固くしたわたしに、

「きょうだいのしるしよ」

彼女はあのまろやかな気品のある声で、宣言するようにいい、静かに部屋を出て行った。

四

わたしは胸がかっと熱くなって、呆然としていた。やがて、ママが詰所から戻ってきた。

「お帰りになったの？」

「ええ」

わたしは額からそっと手をひいた。額が少し重いような感じだった。

「あの人、ママのこと、何かいっていた？」

「何もいわないわ」

「そう」

ママが黙った。わたしも黙った。

「早苗ちゃん、お兄さんからね、今日は見舞いに行かないから、よろしくって」

「そう」

「パパは今夜、函館にもう一泊なさるって」

「それだけ？」

「そうよ」

それだけの電話だろうかと思いながら、わたしは再びそっと額に手をやった。ママは窓のカーテンを引き、ベッドの上から紫のレース編みをとり上げたが、編もうともせず、電燈の下で何か考えていた。

「ママ、お酒飲みたいんじゃない？」

ママは首を横に振り、

「ねえ、早苗ちゃん、怒っちゃ駄目よ」

と、おずおずとわたしを見た。

「何のこと？」

「早苗ちゃんが、沢先生のところに伺ったのは、ママのことを聞きに行ったのね」

「そうよ」

「沢さん、何かおっしゃった？」

「ママと二人の秘密ですって」

「そう」

ちょっと考えてから、

「ママはね、秘密にするつもりじゃないの。でも、パパのために、まだ、しばらく黙っていなければいけないの」

「パパのために？」

「そうなの」

「わたしはまた、ママが沢センセイによろめいたのかと思ったのに」

「まあ、ママは沢先生を、あの時はじめてお訪ねしたのよ」

「でも、沢センセイって、すごくすてきだと思わない？」

「ママはね、早苗ちゃん、沢先生より十以上も年上ですよ」

　ママは笑った。ママらしい大好きな笑顔だった。が、すぐにふっとおし黙った。

「どうしたの、ママ」

「何でもないの。ただ……」

「ただ、どうしたというの」

「ママの記憶ちがいかも知れないけれど……ママは今日の人を、前に見かけたことがあるのよ」

「どこで？」

「グランドホテルで。パパと食事をしていらしたのよ」

「まあ、あの人とパパが!?」

「そう。あの人を見まちがうことはないと思うの」

「いつ？」

「去年の秋よ。九月九日、重陽《ちょうよう》の日」

重陽の日なんて、ママは年齢相応の言葉をつかった。

「そういえば、あの人、社長さんの親戚よね」

「沢先生の姪御さんですものね。でも早苗ちゃん、パパはその時、何かうなだれて深刻な顔をしていらしたのよ」

「深刻な？」

パパはもともと深刻派なのだ。

わたしは、パパがあの人と向かい合って食事をしている姿を想像した。へんに二人の姿がピッタリしている感じだった。大体あの人は、八十歳の老人と歩いていても、五十代の紳士と食事をしていても、二十代の若者とゴーゴーを踊っていても、どこか「ピッタシ」と感じさせるにちがいない人なのだ。

そうだ。それに、女の子にくちづけしても、男の人と腕を組んでいても、似つかわしい奇妙な雰囲気を持っている人なのだ。

「ママは、めまいがしそうよ」

そういってママは、本当に疲れたように、わたしのベッドに頭をふせた。

「ママ。ママは奈津子さんのことを、沢センセイに聞きに行ったのね」

わたしがいうと、ママはちょっとわたしの顔を見て、

「そう」

とうなずいた。が、その時わたしは、ママがもっと別の用事で、沢センセイを訪ねたことを直感した。

野菊よ。二センチ四方の世界よ。昨日のことを思いながら、わたしは野菊に目をやった。

点のような虫が、まだ忙しく這いまわっている。

第四章　深夜の電話

第四章　深夜の電話

一

自分の足で歩けるって、何てすてきなことだろう。退院して以来、毎日散歩に出るたびそう思う。

「寒くなったら、打ったところが疼くかも知れませんよ」

とお医者さまはおっしゃったけれど、もうぜんぜん治っちゃったという感じ。

とにかく、この晩秋の天気のよいうちに歩かなきゃと、今日はふと思い立って、尾崎道子の民芸品店「六華堂」に足を向ける。彼女はいつもにこにこ笑っていて、最高にリラックスさせてくれる人なのだ。

去年、この店が開店したての頃だった。サチ子とヨリ子と歩いていて、

「わっ、楽しそうなお店！」

とかいって、ドアを開けて入って、小さな水車だの、『大入』と泥絵の具で書いた紙凧だの、竹の鳴子《なるこ》だの、スイスやドイツのコーヒー茶碗だのをのぞいたあと、

「六華堂なんて、むずかしい名前のお店ね、似合わないわ」

といったら、

「あのう、あのう、六華堂《ろくかどう》ではなく、六華堂《りっかどう》と呼んでいただいているんですけど……ごめんなさい」

って、まったくの話、あれは結婚の申し込みを断わる時のように、そりゃあもう、大変悪いことをしたって顔であやまった。人間、そうそう悪いことをしたって顔はできやしない。あれで、わたしたちは彼女が大好きになったのだ。

で、時折彼女の店に行くんだけれど、いつも客が二、三人いて、みんな彼女とぺちゃくちゃおしゃべりをしている。それが買物客じゃなくて、何ということなく、彼女の顔を見にきたって具合なのだ。

その二、三人が店に入っただけで、もう四人目は入れないぐらい小さな店で、ざっと四、五坪しかない。畳だと九枚しか敷けない店に、全国、全世界から集めた、陶器だの、漆器だの、ゴザだの、人形だの、ザルだの、鏡だのが、もう、おし合いへし合い置いてあって、凄く楽しいけれど、人の入る余地がない。その、入る余地のないところに、おしゃべり客が来て、彼女は何も買わない客にも、とってもご機嫌で話をするものだから、

(これで商売になるのかなあ)

って、内心心配になるのは始終のことだ。あれはきっと、ヨリ子のいうように、壁の貼

り紙が悪いのかも知れない。

「記念品、贈答品、アイデア、個数その他いろいろご相談ください」

　と壁に貼ってあるのだ。いつかヨリ子がいっていた。

「その他いろいろご相談ください、なんて書いてあるからさ。それで、その他いろいろの相談客がふえるのよ」

　でも、それで飢えもせず、ぎょっとするほどすてきなパンタロンやら、スーツやら、支那服を着て、

「へえ！　いかすよねえ」

　って、人におどろかれることもあるから、世の中うまくできていると思う。ま、いつもはジーパンなどはいて、それがピッタシさまになっているベストドレッサーだから、無理もない。何せ、二十代にも四十代にも見えて、年齢不詳といわれているけれど、四十歳にはなっている彼女が、ジーパンが似合うというのは、これはもう、絶対ベストドレッサーといっていい。

　今日、三時過ぎになって、急に彼女の顔を見たくなって、行ってみたら、運よく「その他」のお客が一人もいなくって、彼女一人が小机に向かって本を読んでいた。わたしの顔を見るなり、椅子から飛び上がって、

「まあ早苗ちゃん、交通事故だったって？　もう大丈夫なの。交通事故なんて、ずい分まあ、ありふれたことにぶつかっちゃったのねえ」

といった。いわれてみると、交通事故なんて、まったく毎日あちこちに起きる「ありふれたこと」で、世の中にはどうしてこの「ありふれたこと」が、性こりもなく繰り返されるのかと思ってしまう。

「ほんとほんと、ありふれたことよねえ」

って笑っちゃうと、

「ごめん、ごめん。悪いことといっちゃって」

と、すまなさそうにいいながらにこにこ笑う。これも彼女の特技の一つで、本当に申し訳ないといいながら、一方では楽しそうに笑う。これが他の人だと、

「何よ、笑ってるのか、あやまってるのか、わからないじゃない？」

と怒りたくなるところだが、彼女ならいくら笑っても、ああ、すまないと思っているんだなって、よくわかる。こういうへんてこりんな見事さが、民芸品よりもわたしたち若い者の心を惹く。

「この間、元夫さんが見えてさ、うちの早苗、交通事故なんて、パッとしないことで入院した、なんておっしゃってたのよ」

「あら、お兄さん、そんなこといっていた?」

兄は、わたしが、

「六華堂の尾崎道子って、おもしろいわよ」

といったら、

「どれどれ」

と、その日のうちにのこのこ出かけてきて、もう前世からの友だちみたいに仲よくなって、それから、

「原水爆禁止運動にカンパをおねがいしまあす」

の街頭募金にまで、彼女を引っぱり出すほどの仲になった。

「早苗ちゃん、沢謙三さんの車に乗っていたんですって?」

「そうなの」

退院してから、わたしはしばらく沢先生に会ってはいないのだ。名前をいわれただけで、胸が痛くなるほどなつかしい。

「どんな人?」

「まあまあね」

すてきな人といいたいところを、わたしは気のなさそうにいう。いいながらもモーレッ

に会いたくなる。そして、ふいに詩を読みたくなった。

「ね、詩を見せて。今、わたし詩に会いたいの」

沢先生も詩人、尾崎道子も詩をつくる。

その偶然が何か嬉しい。

「詩に会いたい?」

とわたしの顔を見、

「ま、いいや、早苗ちゃんだから、仕様がないや」

と、机の中から大学ノートを出してくれた。

スカッとした大きな字で、詩がページを埋めている。「あの人」という詩が目にとまる。

カラヤンは駅や汽車は
嫌いだという
私は駅や汽車が好きだ
駅に行けば思いを持った
人々がおり
汽車に乗ればあの人に

逢える

わたしは二、三度口ずさみ、「思いを持った人々」という言葉に惹かれた。沢先生にしたって、桐井奈津子にしたって、この尾崎道子にしたって、みんな、何と「思いを持った人々」なのだろう。いや、父や母だって、みんなそれぞれに、「思い」を持って生きている。

重い思い、悲しい思い、苦しい思い、侘しい思い、孤独な思い、辛い思い、泣きたい思い、にがい思い……そんな思いを、影をひきずるように、ひきずって生きている。

この詩を読んだだけで、わたしは尾崎道子とたっぷりお話したような心持ちになってしまった。

紙ねんどでつくった、黄やみどりや赤で彩色をした「置き人形」を一つ買った。裾長い服を着て臥《ね》ている人形の裾に、白い小鳥がのっている。男か女かわからぬ人形だ。人形のそばには、五千四百円のポルトガルのしゃれた果物皿があった。

(ポルトガルのおいしい果物は何だろう)

と思いながら、壁の時計を見ると、もう五時近い。

「わあ、もうこんな時間?」

というと、

「ううん、これ、三十分以上進んでいるの。少し進んでいると思ってたけど、感電しやしないかと思って、こわくって、直せないのよ」

「え、感電？　どうして？」

「どうしてって、これ電気時計なのよ、早苗ちゃん」

「でも電池でしょう」

「そうよ、そうなの」

　わたしは声を上げて笑っちゃった。

　ああ、彼女は何とすてきな感覚を持っているのだろう。今にきっと、この電池時計から漏電して、火事になるかも知れない。

二

店を出たら、オレンジジュースを流したようなきれいな夕あかねの空だった。じっと空を見つめて、信号のところまで歩いて行く。と、向こう側に、パパがレインコートの襟を立てて立っている。なかなかしぶい。信号が青になった。五、六人の人にまじって、パパはうつむき加減に歩いてくる。

わたしがこっちでじっと見ているのを、パパは知らない。すれちがった女の人が、ちょっとパパをふり返った。女の人をふり返らすだけの何かがパパにはある。

横断歩道を渡って、目の前に来たパパの腕にすっと手をかけたら、パパはハッと立ちどまって、

「や、早苗か」

と、てれたように、でも、とってもうれしそうに笑う。実の娘に会ってテレるなんて、と思いながらも、わたしはこんなパパがやっぱり好きだと思う。

「パパとママと、どっちが好き?」

と、子供の時、よく大人たちが聞いたものだ。なぜ、あんな奇妙な質問をするのだろう。

ママと答えたら、満足なのか。パパと答えたら嬉しいのか。いずれにしても、子供のわたしには不快な質問だった。だから、

「どっちも好き」

と、わたしはいつも答えたが、本当は、わたしはパパが好きだったような気がする。ママが嫌いというのではない。何か、パパは好きな要素が今ひとつ、ママより多いというような、そんな感じ。

オレンジジュースの空が、グレープジュースを徐々に注がれたように、刻々と紫色に変わる空の下を、パパと歩きながら、わたしはパパと歩いているのが誇らしいなんて、ずいぶん幼稚な感情かも知れないと、内心自分を軽蔑したいような気持ちもないわけじゃなかったけれど……。

「学校は疲れないかね」

パパはいった。

「ええ、二講か三講しか出ないから」

「無理をしないといい」

しみじみという。パパにしてみると、こうして娘が助かって、肩を並べて歩いているということだけで、きっともう、何もいうことがないのだろうと思う。

「もしかしたら、もう一度一年をやらなければならないわ」

　気にかかりながら、自分でも触れたくなかったことを、わたしは思いきっていった。

「うん……」

　パパはちょっと考えるように、というより、言葉を探しているという感じで、うつむいていたが、

「早苗、一年をもう一度やるということは、人より遅れることだと思うかい」

「そりゃあ、思うわよ」

　思わなければ楽なのだ。

「そうか。お父さんはそうは思わないよ。自分を、いつも人と比較して考えるというのは、どんなものかね。お父さんには、それは、大変な固定観念に思われるがね」

「固定観念？」

「うん、固定観念だ。男の世界でもそうだが、どうも、人と比較して考えるという癖を持っているんだね、人間は」

「なるほど、そうかも」

「お父さんのお友だちの菅原という医者を知っているだろう。あの男は大学に入るのに、恋愛に夢中で一年おくれたんだよ。しかもね、入学してからヴァイオリンにこって、オーケ

ストラに入って一年留年してね。それで二年おくれたよ」

「まあ、それで？」

「しかし彼は、自分の青春時代を充実していたって、それをむしろ誇りに思っているようだね。好きな女の子や、音楽に夢中になった二年間がなければ、ずいぶん色あせた青春時代だったろうってね。しかし、卒業してから今に至るまで、実によく勉強している立派な医者だよ。お前も知っている通りだ」

　二人はたばこ屋の角で、ちょっと立ちどまった。ここを右に曲がれば、あと半町でわが家なのだ。が、わたしは、もう少しパパと二人で歩きたいような気がした。

「パパ、もう少し歩きたいわ」

　パパはうれしそうにうなずいて、二人はリンゴ園のほうにぶらぶら歩いて行った。このあたりは、もとリンゴ園ばかりだったそうだが、今はもう、ほんの少ししか残っていない。いつしかうす暗くなった道を、わたしとパパはゆっくり歩いて行った。

「パパ、菅原先生って、本当にいい青春時代を持っていたなってわかるわ。でも、菅原先生は、自分でその道をえらんだのでしょう？　わたしはちがうわ。思いがけなくけがをしてしまったんですもの」

「そりゃあ、まあそうだ。しかしね、早苗。自分でえらんだ道を歩くことは、快いことだよ。

だが、思いもかけない道を、立派に歩むことは、さらにすばらしいことかも知れないよ」

　パパは、本当にやさしい声音で、わたしをくるむようなあたたかいいい方をした。そうかも知れないと思いながら、でも、わたしは黙ってパパを見た。パパは、わたしがパパのいうことをよくわからないとでも思ったのか、

「早苗、お父さんのもう少し先輩の人たちには、飛級《とびきゅう》というのがあってね。一年から、いきなり三年になるという進級の仕方があったそうだ。でもね、早苗、人より先に学校を卒業したからって、結婚したからって、そんなことは、どうってことじゃないと思うよ。そりゃ、今、早苗は一年おくれるのはつらいかも知れないけれど、とにかく、早苗は早苗の人生をじっくりと歩めばいいんだからね」

　一年おくれるっていうこと、自分にもいいたくないほど、何か惨めだったのが、ふいに、何かイカスみたいな感じになっちゃって、わたしはうなずいた。

「パパ、わかったわ」

「そうか、それはよかった。パパは、そのことが気にかかっていたんだ」

　パパはいたわり深くいって、歩みを返した。

「ね、パパ」

　わたしはふいに、この大好きなパパに、今まで黙っていたことをいってみたくなった。

それは、このパパになら、何をいってもいいような気がしたからだ。いや、それはうそ！ ふいにわたしの胸の中に、奇妙なパパへの愛情が湧いたのだ。ママが沢先生と、二人の秘密を持ったように、わたしもパパと二人っきりの秘密を持ちたいと思ったのだ。

「何だい」

「わたしが、なぜ沢謙三先生のお家をお訪ねしたか、パパは知っている？」

パパのぎくりとしたような表情を街燈の下に見て、わたしは後悔した。

「いや、知らない」

少し間を置いて、パパは低い声でいった。

「知りたくはない？」

どう答えるかと思いながらパパを見上げると、パパは苦笑した。が、すぐにその目がちらりとかげった。

「ね、パパ。わたしね、沢謙三って、どんな人か知りたかったの」

「…………」

「だってママが、沢さんの車で家に送られてきたことがあったの。だから、もしか、ママは、沢先生によろめいたんじゃないかと思って……」

パパは立ちどまった。やっぱりパパは、ママが沢先生を訪ねたことを知ってはいなかった。

唇をかすかに歪め、パパはちょっと喘《あえ》ぐような表情をした。

「でも、ママはよろめいたんじゃないんですって。安心したわ」

パパはもう、何事もなかったように、ゆっくりと歩いて行く。

「パパは沢先生と、二人で旅行をしたことがあるんですって？」

パパはもう立ちどまらずに、

「ああ」

と答えた。

「わたし、あの先生のおうちで、髪の長いすてきな人に会ったわ」

「…………」

「桐井奈津子さんとおっしゃるのよ」

「…………」

「わたしのお見舞いにきてくださったわ」

「…………」

「そして……」

パパはわたしの言葉を聞いていないように見えた。で、わたしは黙った。

「そして？」

パパが促《うなが》した。

「聞いていたの?」

「ああ、そして、どうしたの?」

「あの人、わたしの額にキスをしたの」

パパは、再びギクリとしたように、わたしを見た。

「これはママにもいっていないのよ。パパにだけ教えてあげるの」

パパは黙ってうなずいた。が、五、六歩行ってから、

「桐井奈津子って、お父さんも知っているよ」

といった。ママは、パパと奈津子さんが、グランドホテルで食事をしていたといっていた。が、わたしはそのことを黙っていた。パパは、その時の自分をママに知られていることを、多分知らないはずだから。

「まあ、パパも知っているの?」

「ああ、社長の孫だからね」

「沢先生の姪御さんだといっていたわ」

「そうだよ。社長の長女の一人娘だ」

「……でも、あの人、パパを知ってるなんて、一言もいわないわ」

「それは……」

　パパはちょっと口ごもり、

「あの子はふつうの女の子とちがうからね」

　と、困ったようにいった。

「ほんとね。でも、すごく惹かれるの。パパはああいう人きらい？」

「別に、きらいということはないが……」

　歯切れわるくパパはいい、

「さ、風が冷たくなってきた。体にさわると大変だからね」

　と、やさしくわたしを促した。パパが逃げた感じだった。

「ね、パパ、わたし、あの人と仲よくしてもいい？」

「……それは、早苗の自由だがね……」

「社長のお孫さんなんかと、あまり仲よしにならないほうがいいかしら」

「社員のわたしとしてはね」

　いつのまにか、たばこ屋の前まで戻っていた。と、たばこ屋から出て来た兄が、

「へえー、お揃いでお珍しい」

　とおどけた。

三

夕食の間、パパは何となくぼんやりしていた。ママに、

「あなた、ごはんのおかわりは？」

といわれて、パパはフライの皿をママに差し出した。ママは黙って、皿を返し、ご飯茶碗をとって盛った。パパは気づかずに、そのご飯を黙々と食べた。ママがすっと立った。そしてウイスキーの角瓶を出してきた。

おや!?　とわたしは思った。ママは、わたしが事故にあって以来、ウイスキーは忘れたように飲まなかったのだ。

「ママ、ぼくも、お相伴しようかな」

兄は、気まずさに気づかぬような顔で、明るくいう。

「いいわ、元夫さん。無理してくれなくても」

ママの声がへんに静かだった。兄はパパに似て、アルコールには弱いのだ。

「いや、修行をしますよ。ママにだけうまいものを飲ますという手はない」

兄がいった時だった。

電話のベルが鳴った。腰の軽い兄が、さっと立って行った。

「もしもし、三木です。え？　沢謙三さんですか」

わたしはハッと胸がとどろいた。パパもママも電話のほうを見た。兄はのんきそうに、

「や、おばんです。いえ、いえ、こちらこそ、何やかやとおせわになりまして……。え、早苗ですか。ま、何とか元気になりました。はい、少々お待ちください、今ここにいますから。……早苗、沢さんだ」

わたしはポッと顔がほてった。壁の鏡をちょっとのぞいて、髪の乱れをなおしてから受話器をとった。そのわたしをパパとママが見ている。わたしは二人に背を向けて、受話器を耳に当てた。

「もし、もし、早苗さん？　しばらくですねえ。お元気になりましたか」

なつかしい声が耳に快い。

「ごぶさたしまして」

胸の鼓動が伝わりそうなほど大きい。

「お見舞いにも行かないで、悪いと思っているんですけれどね。ちょっと、このところ忙しくて……」

「いえ、もうお見舞いなんて、いいんです。すっかり元気になりましたから……」

「そうですか。すっかりお元気ですか」

　電話がとぎれた。

「あの？　何かご用でしょうか」

「ええ、ちょっと……。あの……この頃奈津子にお会いになったことはありませんか」

「奈津子さん？　いいえ」

「そうですか。お会いになりませんか」

　わたしは何となくパパをふり返った。パパはうつ向いてご飯を食べていた。

　少しがっかりしたような声がした。

「退院してから、一度、お会いしただけです」

「と、いうと、もう半月は経ちますね」

「はい。奈津子さんが、どうかなさったのですか」

「いや……実は、実はですね、お会いして、ちょっとお話したいんですが、これから伺っていいでしょうか」

「ええ、どうぞ、どうぞ。お待ちしております」

　思わず声がはずんだ。

「お宅の近くに、喫茶店がありますね」

「ええ、二、三町離れていますけど」

「そこに、ちょっとお誘いしちゃ、悪いかな……」

「いいえ、いいえ」

何というわたしだろう。まるで、これでは飼主に尾をふる犬のように他愛がない。

受話器をおくと、奇妙な沈黙が部屋に流れた。が、それは一瞬のことだった。兄が、

「じゃ、これから、多分二十分以内にお迎えに上がります」

「おデートですか、マドモアゼル」

とふざけた。

「奈津子さんのことで、ちょっとお話をしたいんですって」

パパの肩がぴくりと動き、そのパパの動きをママは凝視した。兄がいった。

「奈津子さんって、何者だい」

「沢先生の姪御さんよ」

わたしは残りのご飯に、かきフライをのせながらいった。ママが、

「急に、どうなさったのかしらねえ」

と、ウイスキーの瓶を膝もとにおいた。

どうやら、飲むのを中止したらしい。わたしはご飯をさっとかきこんだ。二十分以内に

顔を洗い、髪を直し、服を着更えなければならない。

パパは何もいわなかった。ママはそのパパをちらりちらりと見ていたが、終始黙っていた。

わたしは二階にかけ上がり、いちばん好きなクリーム色のパンタロンに黒のVネックのセーターを着た。そして、ふっと自分がいやな人間に思われた。沢先生は、奈津子さんのことで、何か心配ごとがあるらしいのに、わたしはもう、センセイに会えるというだけで、うきうきしている。センセイに会えるものなら、何が誰の身に起きてもいいような冷酷さが、わたしにはあるのだ。そう気づくと自分がいやになった。しかし、センセイに会える喜びは消えない。

（仕方がないわ）

わたしはふてくされたように、心の中でつぶやいた。入院中、先生は毎日見舞ってくださった。その毎日の中で、わたしの心が先生に惹かれていったとしても、それは仕方のないことなのだ。

先生はわたしを、いつも「かわいい人」と呼び、手をそっと握ってくださったりした。たとえ「かわいい」といわれなくても、手を握ってくださらなくても、あの先生の悲しみのこもった目を見ただけで、わたしは惹かれる。悲しい目をしていながら、親しみ深くて、男性的だ。

下に降りると、もう食事は終わっていた。あと五分だと、時計を見上げ、すぐにまた時間を見る。ママは食卓の上をていねいに拭きながら、

「うちでお話しなさってもいいのに……」

という。

「そうね、応接間でもいいわね。ストーブに火をつけようかしら」

「でも、きっとお上がりにならないわ」

「そうかしら」

「そうよ、きっと」

ママは確信ありげにいった。パパも何かいおうとしたがいわなかった。

約束の時間が五分過ぎた。

「どうしたのかしら」

「車が、混んでるということもござりまするぞ、マドモアゼル」

そういって兄は、自分の部屋に上がって行った。二階からギターの音が聞こえてきた。

「ね、ママ、奈津子さん、どうしたのかしら?」

ママにわかるわけもないのに、わたしは聞いてみる。ママは茶碗を洗いながら、

「早苗ちゃん、風邪を引かないように、カーデガンを着て行ったら?」

と別のことをいう。

「大丈夫よ」

「いいえ、大丈夫じゃないわ」

　わたしは、しぶしぶ部屋にかけ上がって、パンタロンと同色のカーデガンを羽織った。その時、外で車のドアの音がした。窓からそっとのぞくと、先生が家の門をあけて入ってくるところだった。少しのためらいもないその姿を見た時、わたしは何となくもの足りない気がした。もし、先生がわたしを好きならば、もう少しためらってから、入ってくるような気がした。

（いや、約束の時間を過ぎたからかも知れない）

　そうは思ったが、わたしは急いで下に降りて行くのを止めた。

　いかにも待っていた、というようには見せたくなかった。降りて行きたいのをがまんして、わたしは机の前の椅子に腰をおろした。机の上に、読みかけの古在由秀の「天文学のすすめ」が、開かれている。開かれたページに、「月の歴史」という言葉があった。

（月の歴史。人間のいない月の世界の歴史）

　そんなことを思いながら、耳をそばだてる。下でママの華やかな話し声がする。わたしは落ちつかずに椅子を立ち、ベッドに腰をおろした。

二分、三分、わたしはママの呼ぶ声を待った。何かママの話す声、先生の声。そして、隣室のギターの音。

「早苗ちゃーん、沢先生がお見えですよう」

ようやくママの呼ぶ声がした。少し気どっていつもより若い声。

「はーい」

わたしは無邪気そうに返事をして、降りて行った。

第五章　甘美の時

第五章　甘美の時

一

　喫茶店の中には、学生ふうのヤングが三人、ＯＬの女性が二人の、二組がいるだけで、ひっそりとしている。静かなバックミュージックが流れる店の中をよぎって、沢先生とわたしは、丈高い棕櫚《しゅろ》の鉢の陰のボックスにすわった。

「元気そうだね」

　顔を見合わせると、先生は微笑した。が、それは無理に笑っているように、わたしには見えた。

「おかげさまで」

　先生は神経質に中指でコツコツとテーブルを叩いた。先生は、わたしが元気かどうかは、それほど気にはしていないように、わたしには思われた。

　ウェイトレスが、水を二つ盆に運んできた。他の店のウェイトレスのように、ガチャンと乱暴には置かず、そっと音のしないように置いた。わたしは何となくほっとして、

「ありがとう」

といった。

「ぼくはコーヒー、君は？」

先生が指でテーブルを叩きながらいった。

「紅茶とケーキ」

「ケーキ？」

先生はちょっと笑った。きっと笑うだろうと思って、わたしはケーキを頼んだのだ。先生は指でテーブルを叩くことをやめた。

「奈津子さんがどうかなさったの」

わたしはわざと無邪気な口調でいった。

先生はじっとわたしを見つめたが、視線をかたわらの棕櫚の木に移すと、

「実は昨日から、奈津子が自分のアパートに帰っていないんです」

と、ひどく辛そうにいわれた。

「まあ！　帰っていらっしゃらないの？」

奈津子さんに住むところがあるということが、何かわたしにはふしぎに思われた。奈津子さんは、まったく、水の妖精のような、非実在的な美しさを持った人なのだ。

「あの子は……」

いいかけて、先生はタバコをポケットから出した。

「奈津子さんは、先生の姪御さんなんでしょう」

　先生はタバコに火をつけてから、

「そうです、ぼくらは叔父と姪の間柄なんです」

　わたしはおやと思った。何か、そのいい方に妙なニュアンスを感じたのだ。叔父と姪であることが、たまらないような、そんな感じがあったのだ。

「先生」

「何です」

「もしかしたら……」

「もしかしたら?」

　先生はタバコの煙を目で追った。

「ごめんなさい。もしかしたら……」

　言おうとしてわたしはやめた。

　ウェイトレスが、紅茶とコーヒーを運んできた。生クリームをたっぷりかけたケーキを添えて。

「今、早苗さんは何をいおうとしたの」

先生は、透き通る青いガラスの砂糖壺のふたをあけ、わたしの紅茶に砂糖を入れてくれた。

「あの……。でも、これは失礼なことだわ。先生はお怒りになるわ」

「何です？　いってごらんなさい」

砂糖を入れずに先生はコーヒーを飲んだ。

「もしかしたら、先生は奈津子さんをお好きなんじゃゃない？」

先生はコーヒーカップを皿に置いて、

「早苗さんには、そう見えますか」

「ええ、ちょっと。でも、叔父さまと姪というのは……」

「結婚できない間柄ですよ。あの子はぼくの一番上の姉の子でしてね、三親等だ。つまり近親相姦ということになる」

唇を歪めて、先生は自嘲するような笑いを浮かべた。正直のところ、この表情は、はっとするほどひどく魅力的だった。

「ごめんなさい。わたし、悪いことをいって……」

近親相姦という言葉に、わたしはこだわった。

「……いや、もしかしたら、君の直感は当たっているかも知れない」

「じゃ、やっぱり……」

わたしは、フォークでケーキを二つに切り、それを更に二つに割った。

先生が奈津子さんを愛している。わたしの心はジェラシーでふるえた。先生が病室で、わたしの手をそっと握り、「かわいい」といってくれたのは、いったい何だったのだろう。

「先生、お上がりになる？」

わたしは四分の一のケーキをフォークにつきさして、先生にすすめた。

「ありがとう」

先生はその長い指で、フォークからケーキをとり、ちょっとケーキを眺めてから口に入れた。

「先生、奈津子さんは苦しんでいらっしゃるのね。叔父さまと姪ということで……」

「いや、叔父と姪ということでは、苦しんでいないと思う」

「ということは、叔父と姪でもかまわないということ？」

先生は黙って、首を横にふった。わたしははっと気づいて、

「じゃ、あの……先生と奈津子さんは、もしかしたら……本当の叔父さまと姪じゃなかったのね」

「君は勘がいいんだなあ」

ちょっと驚いたようにわたしを見、

「あの子はね、中学の頃に、今の母親が自分の母親でないと気づいたようですよ」

「では、血はつながっていないのね」

「そう」

「では、何で苦しんでいらっしゃるのかしら」

「あの子はね、ぼくを信じられないんだ」

「まあ、どうして？」

「奈津子は人間を信じないんだ。愛なんか信じちゃいないんだ」

「どうしてかしら？」

「人間の心は、変わりやすいと思っているんでしょう」

「でも……先生は、あの方を愛していらっしゃるんでしょう？」

　先生は、コーヒーを飲んでから、コーヒーカップの中を見つめていたが、

「わからない」

　と投げ出すようにいった。

「まあ！　わからないなんて……」

「ぼくはね、奈津子に疲れたんだ。こんないい方は無責任だろうか」

　ちょっと考えてから、先生は、

「実はね、ぼくが高校三年の夏休みの時にね、酪農をしている根室の姉の家に遊びに行ったんですよ。そしてね、はじめて奈津子に会った。十四の奈津子を、十七のぼくは一目見て恋をした」

わたしはゴルフ場のように広い広い根室の牧草地を思い浮かべた。その牧草地を中学生の彼女と高校生の沢謙三が手をつないで走っている姿が、目に見えるような気がした。

「……そして、奈津子は高校に入るために札幌に出てきて……。あの子にはいつも男友だちがまわりにいた。ぼくにも女友だちがたくさんまわりにいた。それでも二人は信じ合っていたんです。しかし、突然あの子は、人間の愛を信じないといいだしましてね」

「なぜかしら？」

「わからない。ぼくは、自分の愛が真実だとくり返すことに疲れてしまった」

ほんとうに疲れたようなまなざしで、先生はわたしを見た。

「結婚なされば？」

「とんでもない。あの子は結婚なんてしませんよ。とにかく人間を信じられないんですから……」

何が彼女に、それほどまでの人間不信を植えつけたのだろう。

二

考えてみると、本当に人間は信じ合ってはいないのかも知れない。毎夜、鍵をかけて寝るのは、世の人々を信じていない証拠だといえる。いや、世の人々を信じていないばかりじゃない。わたしは母に見られやしないかとこのノートも鍵のかかった机のひき出しに入れている。

どれほど人を信じているかと、きびしく自分の心を見つめたら、まったくの話、どれほども信じていないような気がする。サチ子やヨリ子は仲のよい友だちでも、わたしは家のママが酒を飲んで泣くのよとか、パパとママの仲に何かがあるらしいのよなんて、一度も話したことはない。もしかして、サチ子やヨリ子が、

「早苗のパパとママはね」

と、誰かにいうかも知れないと疑っているからだ。こんなことを、サチ子やヨリ子にいったら、プリプリ怒るだろうけれど、でも、サチ子だって、ヨリ子だってわたしに心ん中を隅から隅まで見せているわけではない。

世の女性は、たとえ結婚していても、多分いつも、

「あなた、わたしを本当に愛している？」

と、その夫に、心の中で、あるいは口に出して、問うているのではないだろうか。

そしてまた、たとえ今は愛されているとは思っていても、いつ、この愛が色あせたものになりはしないかと、脅えているのではないか。そうだ、いつかわたしはこんな言葉を読んだことがある。

「いかなる人間の関係といえども、常に危機に見舞われている」

人を信じられないという奈津子さんの言葉は、真実かも知れない。信じられると思っているほうがまちがいなのだ。

聖書を読んでいるといった彼女の言葉を、わたしはふと思った。

「でも、先生、奈津子さんは、先生を愛していらっしゃるんでしょう？」

「信じてはくれないけれどね」

「先生も愛していらっしゃるんでしょう？　奈津子さんを」

「そのつもりだった」

先生は、ちょっとたゆとうようなまなざしになった。

「つもりだった？　とおっしゃると……」

「ぼくは疲れたんです。あの子といることに、息苦しさを感じてきて……」

「ぜいたくです!」

わたしは思わず、切りつけるようにいった。

「ぜいたくか。そうかも知れない」

「そうよ、ぜいたくよ。あんな素敵な人が、他にいると思って？　札幌中探してもいないわ。エレガントな、あの妖しいような美しい人が」

むきになっているわたしを、先生は切れ長な美しい目でじっと見つめたが、

「でもね、早苗さん。ぼくは、あの子よりずっとテンダーハートの、ほっと憩わせてくれる女性を知ったんです」

と、はにかんだように笑った。

「まあ、ひどい。じゃ、先生はもう、他の人に心が移ってしまったんですか」

呆れるわたしの視線を避けて、先生はうつ向いた。はらりと黒い髪が額に垂れた。

「移ってしまったかも知れない。ぼくは、その子を一目見た時、スィートピィのように愛らしいと思った」

ぬけぬけと先生はいう。

「その子に会っていると、ぼくは五体のこわばりが消えるんだ。やさしくって、無邪気で、愛らしくって。男は誰だって奈津子とその子を比べたら、その子と結婚したいと思うだろ

うね」

「まあ！　そんなに魅力的な女性なの」

　わたしは再びジェラシーを覚えながらいった。

「うん、奈津子の魅力は、デモーニッシュだが、その子の魅力はエンジェルのようでね」

「そんな女性が札幌にいるんですか」

「いますよ」

「一度会ってみたいわ」

　先生は黙った。

「その人、今、何をしていらっしゃるの」

　先生は、なおも黙ってわたしを見つめた。が、激しい迫るようなまなざしで、

「早苗ちゃん、その人はね、今、ぼくの目の前にいる」

　と、かすれたような声でいった。

「え？」

　はっとするわたしの手を、先生はテーブルの上でしっかと握った。手の先から全身に、
電流に似た戦慄が走った。

「早苗ちゃん、ぼくの気持ちが本当にわからなかった？」

ベルベットの布地の感触にも似た、やさしいやさしい言葉の響きに、わたしはもう真っ赤になってうつむいた。わたしの胸はあやしくふるえている。沢先生が、あの妖精のような奈津子さんよりも、わたしに心惹かれたという事実に、わたしの心はふるえたのだ。それはしかし、何とエゴイスチックな、残忍な喜びだろう。

一人の男性が、その愛する女性から心が移ったということ、それが喜びになるなんて。もし、これが、わたしから他の女性に心が移ったとしたら、その女性は同様の喜びを持つのではないか。

しかし、わたしはその残忍な自分の心に目をつむった。

「早苗ちゃん、ぼくはね、君とはじめて会った日、本当に、奈津子をあのベンツに乗せてどこか山の崖から落ちてしまいたいほど疲れていたんだ」

わたしはあの日、先生が、玄関に出てきた奈津子さんに、

「何だ、まだいたの?」

と、ひどく堅い声でいっていたのを思い出した。

「いけない?」

と彼女がいうと、

「いけないことはないが……」

と、先生は無表情でいっていた。

そうか、では、あの日先生は、わたしがいなければ、奈津子さんと崖から落ちて果てようとしたのか。何か一つ一つ、心にかかっていたことがわかってきたような気がする。

沢先生はつづけていった。

「だからね、あの日君を車に乗せて、交通事故を起こした時、何か、ぼくが罰せられたような感じでね。それで毎日君を見舞いに行ったわけだけれど、毎日君に会っているうちに、ぼくは、何ともいえない安らぎを感じるようになったんですよ」

「…………」

「君は本当にやさしくて、ぼくはね、この世には、このやさしさだけで何も要らないって思うようになってしまってね」

わたしはそんなやさしい子じゃない。そう思いながらも、わたしはじっと先生の言葉に耳を傾けていた。

「早苗ちゃん、君、覚えている？　ぼくが野菊の花を見舞いに持って行ったこと」

「むろん覚えているわ」

わたしは野菊の花びらに、点のような虫がついていたのを思い出した。

「ぼくはね、以前、奈津子のために野菊を摘んだことがある。その時、ぼくは奈津子にいったんです。ぼくが女性に野菊を贈るのは、愛の告白だって……」

「まあ……」

それで思い出した。あの時、先生は野菊の花が好きだといった。なぜ好きかと尋ねたら、

「なぜだと思う?」

といわれたので、わたしは当てずっぽうに、

「野菊には、何か思い出があるのね」

というと、先生はひどくびっくりして、大きく目を見張った。どんな思い出があるのかと思っていたが、そんな重大な思い出があったのだ。

あのあと、見舞いに来た奈津子さんが、床頭台の野菊を一目見て、

「叔父が持ってきたのね」

といった。今考えると、ずいぶんと複雑な思いでいった言葉なのだ。

「奈津子はぼくにいってましたよ。早苗ちゃんのところに野菊があったわよって。ぼくは黙っていた。それから、あの子は、ぼくのところにめったに顔を出さなくなって……」

わたしは、自分の知らぬところで、自分にかかわるドラマが展開されていたことを、今ようやく知ったのだ。

「悪いわ、わたし。奈津子さんに悪いわ」

　わたしは両手で顔をおおった。

「君には何の責任もないことですよ」

「……でも、先生、奈津子さんも、わたしを憩える人だって、おっしゃってくださったのよ。それなのに……」

　わたしはあの日、奈津子さんがわたしの額に唇を触れたことを忘れてはいない。一体どんな思いで、わたしにキスなどしてくれたのだろう。

　正直の話、わたしは、奈津子さんにひどく心を惹かれているのだ。それは、もしかしたら男性に惹かれる思いに似ていないとはいえなかった。しかも一方では、こんなにも沢先生に惹かれている。わたしは自分が、ひどくグロテスクないやらしい女の子になったような気がした。

「そうか、奈津子も君を憩える人だといっていたの」

　くぐもるような声でいい、先生はタバコを口にくわえた。そしてそのタバコを灰皿に置き、

「早苗さん、ぼくを嫌い？」

　と、まじめな顔でいう。

「ええ、大嫌い」

　わたしはいって、ふいに涙がこぼれた。

「早苗さん！」

　先生は再びわたしの手を強く握って、

「これで、ぼくは安心した」

　と、ほっとしたように手を放した。

「奈津子は、あるいは根室に帰っているかも知れない」

「でも、……まさか」

　わたしは脅えた。もしかしたら、あの人はまた睡眠薬をのむかも知れない。

「もう、薬はのみませんよ」

　先生は、自分にいいきかすように断言した。

　喫茶店を出、二人はだまって歩いた。先生はあのベンツは売ってしまったのだ。わたしは何か淋しいような気がした。

　足は自然、暗い通りに向いて行く。人通りのないリンゴ園のそばまできた時、先生は立ちどまった。

「いい？」

　先生の手がわたしの肩にかかった。

　顔がま近にあった。わたしはうなずいた。先生が両手でわたしの顔をはさみ、唇を近づけた時、はっとしてわたしはいった。

「待って!」

「え?　どうして」

「だって、生まれてはじめてですもの。家に帰れないわ」

　ここで口づけされて、平気な顔で家に帰って行くなんて、ゼッタイできない。

「なるほど、かわいい人だ、君は」

「だって……」

　きっとわたしは、泣き出しそうな顔をしていたと思う。それでなくても、先生がわたしを愛していたと知って、もう気が転倒しているのだ。

「ぼくが悪かった。ぼくがどうかしている。デリカシィに欠けていた」

　先生はそういい、また二人は黙って肩を並べて歩き出した。

三

翌日、午後の二講を終えて帰るとすぐ、思いがけなく桐井奈津子から電話があった。ぶらりと定山渓《じょうざんけい》温泉に行ってきただけだといった。

「ご心配おかけしたそうね」

奈津子さんは、ひどく朗らかな声でいった。

「ええ、あの……」

口ごもるわたしに、

「わたしがまた薬をのみはしないかと、心配してくれたんですって？」

まろやかな声がなつかしかった。

「どこかにいなくなったかと思って……」

「死ぬに時ありって、あなたはいったじゃない。わたしはまだ、することがあるの」

急にひっそりとした語調になり、

「何だか、あなたに会いたくてたまらなくなったのよ。遊びにいらっしゃらない？」

「ええ、でも……」

沢先生のことを思うと、わたしは奈津子さんに会う勇気がなかった。そのくせ、会いたいと切実に思った。

「早苗さん、あなた、わたしに会うのが、こわいのね」

「……ええ、少し……」

「まあ、かわい。いい子ねえ、あなたは。じゃ、待ってるわ。今すぐきてくださるわね」

何か、いつもの彼女とちがって、どこか調子外れな感じだ。

「ええ、参ります。すみません」

すみませんという言葉が自然に出た。わたしは、先生から野菊をもらった女なのだ。そして、奈津子さんも。

住所を聞き、わたしはその場所が、以外に沢先生の勤務先の高校に近いことを知って、こだわりを持った。台所にいたママに、奈津子さんが定山渓に行っていたことを告げ、

「ちょっと、奈津子さんの下宿に行ってきます」

というと、ママは何かいいかけたが、

「そう、ご無事だったの、よかったわね。行っていらっしゃい」

といって、玄関まで出てきた。

「早苗ちゃん」

ドアを開けようとすると、ママが追いすがるような声でいう。

「なあに？」

「あの……、ママはね、あの奈津子さんて、何だか無気味よ」

ママはちょっと脅えた顔をした。

「まあ、ママったら、無気味だなんて……」

わたしは笑いかけたが、妖精のような感じというのは、つまり無気味といえるかも知れないと思った。

「何となくママは不安よ」

「なぜ？」

「なぜでも……」

ママは、うっすらと目に涙までためている。

「ママ、きっとノイローゼね」

冗談のようにいって外へ出る。少し風は冷たいが、上気した頬には気持ちがいい。日が照って、晩秋の空が高い感じ。バスで行こうと思ったが、二、三日前にポケットマネーをもらったばかりなので、タクシーを拾う。

「北林《ほくりん》高校の近くまで」

わたしは沢先生の高校の名をいった。一度、先生の勤務している学校を見ておきたかったのだ。北林高校は、札幌でも古い私立女子高校だ。二十分ほど走って、車は北林高校の半町手前まできた。

わたしは車を降り、スプリングコートのポケットに両手を突っこんで、ゆっくりと歩いて行った。小高い丘の上から、ビッシリとひしめく札幌の屋並が見える。赤、青、みどりのカラフルなトタン屋根の中に、白や茶のビルが、スックと建っている。

校庭のところまで行くと、軽やかなテニスの球の飛ぶ音がする。

「ナイス、ナイス」

生徒たちの明るい声が聞こえる。テニスコートの傍の芝生やベンチに、高校生が垣根をつくっている。わたしはそのそばにそっとよって見て、はっとした。沢先生が青い一線の入った白いスポーツウェアで、ラケットを握っていた。思わず胸をしめつけられる感じ。

先生は、若いきれいな女の先生と組み、相手は、グラマーの女子高校生が二人組んでいる。

「ケンサマ……」

四、五人が声をそろえて叫ぶと、沢先生がにっこりとラケットを上げる。

「キャーッ」

生徒たちが叫ぶ。大変な人気だ。どうやらケンサマという愛称のようだ。

「ねえ、どうしてケンサマは、白鳥の君とばっかり組むのかしら」

「本当よねえ」

「あの二人、あやしいんじゃない？」

「かもねえ」

「でも、お似合よね」

「似合わないわよ」

「そうかしら」

「そうよ、ケンサマと似合う女性なんて、そうざらにはいないわ」

　わたしは、話し合っている女の子たちに、マヨネーズソースを頭からどろりとかけてやりたいような気持ちだった。

　先生と組んでいる女の先生に、わたしは注目した。笑顔のきれいな生き生きした表情の持ち主だ。すらりと伸びた足がとてもスマートだ。テニスもうまい。大きなモーションで、あせらずに打ち返す。

　先生はシャープだ。ガードもうまい。フォームも見事だ。そして、やや、メランコリックな雰囲気を持つ端正な横顔がいい。先生の一挙手一投足に、生徒達は嬌声をあげて反応する。

「あ……」

「残念！」

「カックいい……」

「キャーッ」

姦《かしま》しい。

見ていて、ふっと侘しくなる。こんなに人気があるということは、何か異様な感じだ。こんなに人気があることを知っていて、それでもこうしてテニスをするというのは、果たしていい教師なのか。

「ねえ、わたしこの間、ケンサマがトモコのグループと喫茶店に行くのを見たわ」

「あら、ホント？」

「ホントさ。トモコたちのグループと歩いているのは、これで三度見たわよ」

「そんなのないよねえ」

「そうよ。トモコたちは、オシャレグループだからさ、連れて歩いてカッコいいじゃん」

「ふーん、しらけちゃう」

聞いているわたしもしらけちゃう。

二十分ほど見ているうちに、何となく侘しくなって校庭を離れた。

先生の学校は、クリーム色の三階建で、みどりの屋根が、大きなおわんを三つふせたようですてきだった。

でも、先生とつき合っていると、わたしも人を信頼することができなくなっていきそうな、ある揺らぎを覚える。

電話で奈津子さんに教えられたとおり、白樺の並木がすっきりとつづく下をしばらく行く。

パパならこの道に何と名をつけるだろう。「思い出の道」「貴婦人の坂道」……どうも冴えない。

わたしは今見た沢先生や、女の先生が胸に浮かんで落ちつかない。落ちつかないといえば、電話をくれた時の、奈津子さんの上っ調子の明るい声も気になる。あした死ぬ人が、意外とあんな明るい声を出すものではないか。ちょうど、切れる前の電燈が、ひときわ明るく輝きを増すように。

沢先生は、ゆうべのことを何と彼女に告げたのだろう。わたしは次第に足が重くなった。

ふっと先生の言葉が甦える。はじめて会った日、奈津子さんのことを、先生はこうおっしゃった。

「あの子に近づくと、やけどをしますよ。男でも女でも」

わたしは、もしかしたら、本当に大やけどを負うかも知れない。

また、奈津子さんは、先生のことを、

「あの人は殺し屋よ」

といった。わたしは立ちどまった。

（いいじゃないか、大やけどをしようが、殺されようが）

わたしはふいに、そういった大胆な思いになった。青春時代に、傷一つ負わずに生きるなんて、そんな生ぬるい生き方なんて、本当にそれは恥ではないか。青春はもっと、ひたすらなものではないか。

計算ぬきの、欲得ぬきの、純粋なものではないか。手垢のついた、人のお古のような人生なんて、わたしは生きたくはない。

わたしは昂然と目を上げて、「吉田荘」と看板の出ている筈の、赤い屋根のアパートを探した。

第六章　孤　影

第六章　孤　影

一

奈津子さんの住む吉田荘は、二階建だが、白亜のマンションだった。下に五軒、上に五軒住んでいて、彼女は二階の一番右端に住んでいた。木製の重いドアには、ちょっとした彫り物がしてあって、高層のマンションよりずっと落ちついた、豪奢《ごうしゃ》な感じだった。若い彼女が、こんなマンションに住んでいることに、わたしは幾分の反撥を感じながらも、何となくほっと安心した思いもあった。

玄関を入ってすぐ左手がバス、トイレ、そして奥に、十畳ほどのリビングキッチンと、その隣りが寝室らしかった。彼女の部屋には、赤い色がひとつもなかった。カーテンは濃いブルーで、ジュータンもソファも淡い水色だった。花瓶の花さえもが、白いカーネーションで赤はない。もし壁の色が柔らかいベージュの色でなかったら、風邪をひきそうな感じのするほど、寒い色の部屋だった。

(なるほど、水の妖精にも似た奈津子さんに、ふさわしい部屋だわ)

そう思いながらわたしは、しばらくぶりで会った彼女の、どこかやつれた頬を見た。

「ご病気だったの?」

わたしは、今にも倒れそうな彼女の青い顔を見て、胸が痛んだ。

「そうお? わたし、そんな、病気したように見えて? わたしは元気なつもりなのよ」

奈津子さんは答えた。確かに彼女は、今まで会ったうちで、一番明るい感じではあった。が、それがなぜか病的に見えるのだ。

この人は、猫をじっと抱いたまま、黙っていたり、憂鬱そうに空の一点を見ていたりするほうが、似合うような気がする。

(こんなに愛想よくわたしを迎えるなんて……)

わたしは何だか、堕落した天使でも見るような淋しさを感じた。

「わたし、ほんとうにあなたに会いたかったのよ」

とまどっているわたしに、彼女はいった。さっき電話でも、彼女は同じことをいった。

「どうしてなの。どうしてわたしなんかにお会いになりたかったの」

「ほんとうに、どうしてなのかしら。どうしてあなたに会いたかったのかしら」

彼女はふっと、自嘲する語調でいった。ふいに明るさが消えた。物憂い、暗い目が、窓の外を見ていた。内心わたしはあわてた。せっかく奈津子さんは、わたしに会いたかったといってくれたのに、わたしはなんと冷たい返事をしたのだろう。

「わたしも会いたかったのよ」

となぜいえなかったのだろう。多分わたしは、たった今見てきた沢先生の姿に、自分を失っていたのかも知れない。女子高校生にワアワア騒がれながら、美しい女教師とカップルでテニスをしていたあの姿に、わたしの心は動揺していたのかも知れない。

それとも、すこしやつれて、それでかえって凄艶にさえ見える奈津子さんに、嫉妬を感じたのかも知れない。

「奈津子さん、ほんとうはわたしも、あなたにお会いしたかったのよ」

それは嘘ではなかった。会うのはこわい。しかし会いたい人だった。なぜなら、わたしは、沢先生にも奈津子さんにも、それぞれに心ひかれているからだ。無論それだけではない。沢先生と奈津子さんが愛し合っていたことを、先生の口から聞いたからでもある。

「早苗さん、ほんとうにわたしに会いたかった？　そうじゃないでしょう」

「……いいえ、お会いしたかったわ」

「それは……」

彼女は紅茶を入れる手をとめて、ちらりとわたしを見、

「それは、あなたも彼から野菊をもらったからでしょう」

「………」

「いいのよ、わたしとあの人の、愛はもう終わったんだから。彼はいったでしょう。奈津子にはもう疲れたって」

まるで、沢先生からすべてを聞いたように彼女はいう。わたしはふっと、先生と奈津子さんの愛は、決して終わってなどいないのではないかと思った。いや、もしかしたら、決して終わることのない愛なのではないかと思った。何か二人の間には、わたしなどの入りこむことのできない、強いつながりがあるような気がした。それは、宿命的な、といったほうがいいような愛に思われた。これは理屈ではない。わたしの直感だった。

が、一方、わたしの手を強く握って、激しくわたしをみつめた先生のまなざしも、偽りとは思えない。わたしの心は、ひどく動揺した。

そのわたしの前に、奈津子さんは紅茶とケーキを出した。

「あなた、ケーキがお好きでしょう」

わたしは思わず彼女の顔を見た。昨夜、先生と入った喫茶店で、わたしは紅茶とケーキを頼んだ。そのことが、もういち早く彼女の耳に入ったのではないか。

「好きです」

わたしは小学生のように答え、何か惨めだった。

「そうでしょう」

さりげなく彼女は、わたしと同じソファに腰をおろした。わたしはちょっと身じろぎをし、彼女から一センチほど離れた。彼女は軽くふくみ笑いをした。わたしは黙ってうつむいていた。

「どうしたの、召し上がれよ」

やさしく彼女はいう。そのやさしい声音は、何にたとえたらいいのだろう。春のうららかな陽ざしのように、しみじみと体の芯まであたたかくなるような、そんなやさしさなのだ。奈津子さんという人は、どちらかといえば、もっと冷たい感じのする、それで水の妖精のようにも思われる人だ。彼女へのジェラシーも、反撥も、ふしぎなほどに消えていくのを感じながら、

「いただきます」

と、わたしはケーキにフォークを入れた。彼女の前にはケーキはない。わたしは昨夜、先生にしたように、ケーキを四つに割り、その一つを彼女に上げようと思った。が、思い直して、四つに割らずに二つに割った。先生にして上げたのとまったく同じようには、したくはなかった。半分にしたケーキを、

「召し上がる?」

というと、

「ありがとう。二分の一は多過ぎるわ。もう半分にして」

彼女はいった。

ケーキを四分の一にするわたしの手はふるえた。偶然かも知れない。が、やはり彼女と沢先生は、わたしの知らない世界の人のように、わたしには思えた。自分が別世界の人間のように思われた。

四分の一のケーキをフォークにさして、彼女の前に差し出すわたしの気持ちは複雑だった。

「ありがとう」

彼女は形のいい指でそれをつまみ、そして食べた。

「あの人、テニスをしてたでしょう」

わたしはうなずいた。なぜ彼女は、わたしが北林高校の前で車を降りたことを知っているのだろう。もしわたしがあそこで車を降りずに、このマンションの横まで車できたなら、決して沢先生のテニス姿は見えなかった筈だ。なぜなら、高校生たちが人垣をつくってワアワア騒いでいたからだ。

「奈津子さん、どうしてわたしがテニスを見てきたことご存じなの?」

彼女はふっと笑い、

「そんなこと、心理的必然じゃないの」

　と、少し突きはなすようないい方をした。

「奈津子さん、あなた、やっぱり先生を愛していらっしゃるのね」

「愛してる、といったら？」

「わたしは、もう沢先生にはお目にかかりません」

「じゃ、もし、愛していないといったら？」

「……さあ、わかりません」

　彼女は軽やかな笑い声を立てた。澄んだ、やさしい笑い声っだった。

「ほんとうにあなたはかわいいのね」

　ふっと彼女はまじめな顔になった。

「早苗さん、わたしのこと、人を信じられない人間だって、叔父がいっていたでしょう」

「ええ。でも、沢先生は、あなたのほんとうの叔父さまじゃないわ」

　いつの間にか、彼女が沢先生を愛しているかどうかの、わたしの質問をはぐらかしたのに気づきながらいった。

「早苗さん、あなたは自分を産んでくれたお母さんに育てられて、幸せね」

　彼女は別のことをいった。

「奈津子さんは不幸なの？」

「ううん、わたしを育ててくれた母はいい母よ。でもね、わたしを育ててくれることのできなかった母は……」

　奈津子さんは黙った。

「奈津子さん、あなた、産みのお母さんを恨んでらっしゃるのね」

「恨む？……」

　ふいに、まったくふいに、奈津子さんの目から涙がこぼれおちた。わたしはその涙が、何の涙か測りかねてうろたえた。いや、単に測りかねたからだけではない。わたしは奈津子さんが、他の若い女たちと同じように、涙をこぼすとは考えてもいなかったのだ。彼女に涙がないと思っていたのではない。人に涙を見せるほど、弱い人ではないと思っていたのだ。そんな感情の昂ぶりを人前で見せるとは思わなかったのだ。彼女は湖水のように静かな人に思われたのだ。

　彼女は目頭をちょっとおさえていた。

「早苗さん、わたしは母を恨んだことなど、一度もないわ」

「あの……お母さんは早くに亡くなったの？」

「ううん、生きているわ」

影のような声で彼女は答えた。

「お父さまは?」

「父?」

　彼女は、その切れ長な目をじっとわたしに向けた。そしてまたたきもせず、彼女はわたしを凝視した。二分、三分、彼女はただわたしをみつめた。その目は冷たくも、そして苦しげにも、そしてまた淋しげにも見えた。

「ごめんなさい、奈津子さん。わたし悪いことをいったのね」

「ううん、両親を持った人には、あたりまえの質問よ。気にすることはないの」

　いったかと思うと、彼女はわたしの肩をぐっとひきよせた。次の瞬間、わたしは彼女の両の腕の中に、固く固く抱きしめられていた。何という激しい、何という力強い抱擁であろう。わたしは、異性に抱きしめられているような激しさを、その抱擁に感じた。

　もし他の女性が、このように激しく迫ったなら、いい難い嫌悪にその場を立ち去ったであろう。が、なぜか、彼女に抱かれていてわたしは楽しくさえあった。いや、楽しいという言葉にはあたらない。喜びといったほうがよいかも知れない。

　やがて、その抱擁の手がゆるんだ時、わたしは彼女が近いうちに死ぬのではないかと思った。今の激しさで、彼女は沢先生を抱きしめたのではないか。その激しさを、わたしの体に記憶させるために、刻みつけるために、彼女はわたしを抱きしめたのではないか。わたしの喜びはかき消すように消えた。深い不安だけが、再び戻った。

「早苗さん、どうしたの。驚いたの？　脅えたような顔をしているわ」

彼女は、けぶらすようにその長いまつ毛を伏せ、半眼に見ひらいた視線をわたしに投げかけた。

「ううん、うれしかったの」

「そして、恐ろしかったのね」

「奈津子さん、わたし、あなたが好きよ」

ほんとうにわたしは、その瞬間、この世で誰よりも彼女を好きだと思った。ああ、十九歳の女の子なんて、なんと猫の目のように気分が変わるのだろう。その次の瞬間には、刺し殺したくなるほど憎くなるかも知れないのに、とんだ情緒不安定なわたしだ。

「好き？　好きってことは、嫌いに変わることでもあるのよ」

また心を見透すように彼女はいい、傍の机の上から黒い聖書を取り上げた。五、六センチはある厚い聖書だ。彼女はパラパラとその聖書をひらき、低い声で、しかしはっきりと読んだ。

「たとい彼が生きながらえる間、自分を幸福と思っても、また自ら幸せな時に、人々から賞讃されても、彼は遂に己れの先祖の仲間につらなる。彼らは絶えて光を見ることがない」

読み終わって、彼女は、横にいるわたしの顔をちらりと見、

「結局は、人間は死ぬのよね。今幸せでも、不幸せでも」

わたしはうなずいた。彼女はまたページをひらき、

「神の受けられる犠牲は、砕けた魂です。神よ、あなたは砕けた、悔いた心を軽しめられません」

彼女は黙った。わたしも黙った。石油ストーブの上の、ヤカンの湯が静かに沸《たぎ》るばかりである。

「クリスチャンなの？　奈津子さんは」

「信じられたらと思うわ」

わたしは、聖書を読みたいと思ったことはまだなかった。が、その奈津子さんの聖書を手にとってみたいと思った。神を信じない彼女が、この厚い聖書を買う気になったのは、いつなのかと思いながら、

「ちょっとみせてくださる？」

と手に取った。と、その時、聖書に挟めてあったらしい一枚の写真が落ちた。拾ってみて、わたしははっと息をのんだ。それは、年の頃二十五、六の美しい女性の写真だった。もし、

光が人間になったなら、こんな明るい顔をしているだろうと思われるような、笑顔の美しい写真だった。

「どなた?」

「母よ」

彼女の頬に、誇らしげな表情が浮かんで消えた。

「まあ、お母さん?　すばらしい方ね」

わたしは見なおした。知性とやさしさが渾然となったその表情が、いわれてみれば確かに奈津子さんに似ている。が、奈津子さんよりずっと明るいのだ。

「すばらしい母よ」

「どこにいらっしゃるの?」

「根室よ」

「根室?」

「根室の町じゃないけれど、尾岱沼《おだいとう》という所なの。しまえびの取れる、海の入江のきれいな所よ」

「まあ、尾岱沼?　とてもいい景色の所だって、いつか聞いたことがあるわ。そこにいらっしゃるのね。お会いしたいわ」

「…………」

「お会いしたいわ、一度」

「……ほんとうに会いたい？」

「むろんよ、あなたのお母さまですもの。そしてこんなに素敵な方ですもの」

「じゃ、いつか、連れてって上げるわ……。いつかね」

　彼女はわたしの手からその写真を取り、

「この時、わたしが母のお腹に入っていたのよ」

　彼女はうるんだ声でいった。

二

　結局は、わたしは奈津子さんの所に、何しに行ったのだろう。彼女はわたしに、ただ会いたいとだけいった。だからわたしは訪ねた。確かに彼女は、わたしに会いたいだけで、べつだん何の用事もなかった。しびれるような激しい抱擁と、彼女の母の美しい写真が、夜になっても忘れられなかった。

　ママは、夕食のあとになっても、一人お酒をのんでいた。わたしはママのそばに坐ってぼんやりとママを見ていた。パパは、同期の人たちとの会があるとかで、まだ帰らない。兄は自分の部屋に入って、例の如くギターを弾いている。まったくの話、あれでよく大学を卒業できると思われるほど、兄が勉強をした姿を見たことがない。その点パパとは正反対だ。わたしだって大きなことはいえないけれども……。

「ねえ、早苗ちゃん、あなた、あの女の人のところへ行って、何の話を聞いてきたの」

「何もお話なんかしないわ」

「うそばっかり、何もお話をしないで、何をしてたの?」

「そりゃあ、お話はしたわよ。でもね、ママに報告して、おもしろがってもらえるような話なんかしないわ。沢先生のテニスの話をしたり……」

「沢先生、テニスをなさるの？」

　ママは酔ってうるんだ目をとろんとさせて、

「凄いのよ。高校生たちがキャアキャアいって。騒がれていい気になってるなんて、わたし軽蔑しちゃった」

　わたしはうそをいった。でも、考えてみるとまったくのうそではない。心の底の底に、かすかにそんな思いがないとはいい切れなかった。沢先生は黙って突っ立っていても、ふつうに歩いていても、多分騒がれる存在なのだ。が、その反対に誰にももてない先生だっている。そのもてない先生のことを考えたら、何もテニスコートで、見事なフォームを見せて、生徒たちに騒がれることはないではないか。そんな思いが、確かにわたしにはする。しかしそれは、正当そうな理論にかくれた、わたしのジェラシーがいわせることだった。

「軽蔑しちゃった？」

　ママが聞き返す。

「そうよ、そんなことを、ペチャクチャ話してきたのよ」

「でも、昨日、奈津子さんていう人は、行方がわかんなくなって、沢先生は心配してたじゃないの」

「それはね、沢先生の思い過ごしだったのよ」

　ちょっと考えてから、わたしはいった。わたしは思いきって母にぶちまけてみたかったのだ。

「沢先生と奈津子さん、愛し合っていたのよ。ところが先生は、少しお熱が冷めてしまったの。それが奈津子さんにはショックだったのね。前に薬をのんだことがあるのよ」

「薬って、睡眠薬のこと？」

　ママは子どものように恐ろしそうにいう。

「そうよ。そんなことがあったものだから、奈津子さんの所に電話をかけても、全然出てこないので、きっといてもたってもいられなかったのね。てっきり、いなくなったと思ったのよ」

「……でも……」

　何かいおうとするママの口を、封ずるようにわたしはいった。

「奈津子さんのママって、すばらしい方よ。写真でみたわ」

　ぎょっとしたようにママはわたしを見た。が、何もいわない。

「うちのママもきれいだけど、でもちょっと、かなわないかもね」

「…………」

ママは黙って、ウイスキーを飲んでいた。あとは何を話しかけても、

「そう」

「そう」

というばかりだ。

「大分ご酩酊ね」

わたしはママをそこに置き、自分の部屋に戻りたいのを我慢していた。

「そう、そんなにきれいな方なの」

忘れた頃にママはいった。

「あ、奈津子さんのお母さん？」

「そう」

「きれいよ。内面的なものが、滲み出ているきれいさね」

わたしは勉強があるので、自分の部屋に行った。と、兄きのギターを弾く音がとぎれた。

「早苗」

大きな声でわたしを呼ぶ。自分の部屋に入りかけたわたしは、兄の部屋のドアをあけた。

向かい合わせなのだ。ドアをあけると、男くさい匂いがした。

「なあに、オニイチャマ」

ちょっとふざけてわたしはいった。

「ママにつきあうのは、ほどほどにしておけよ」

兄はギターを抱えたままでわたしを見た。意外と兄の部屋は、いつもきちんとなっている。やっぱりパパの子だと思う。内心はパパに似ているのかも知れない。

「でも、一人でおいておいてもいいの、ママを」

「馬鹿だなあ、ママは君のママだよ。そりゃあちょっとばかり、危っかしくて見ていられないところもあるにしてもさ、何しろ早苗より二十年早く生まれてきた人なんだ。二十年という時間は、やっぱり相当なもんなんだぜ、早苗」

「でも、ママの場合は、わたしたちより幼く見えるじゃない？」

「ナマいうなよ。俺からみりゃあ、やっぱり早苗はママの娘さ。それだけの差はちゃんと見えるよ」

ニヤニヤと兄は笑う。

「ガッカリねえ」

入口の柱にもたれて、わたしはそういいながらも、安心した。

（そうか、ママはやっぱりママなのか）

そばで支えて上げなくてはと、気を使っていた自分が、何となくこっけいになる。いつか駅で、大きなふろしき包みを持った母親の荷物に手をかけて、五つぐらいの男の子が、一生懸命手つだっているつもりの様子を見た。ところがその母親は、

「坊や、手を離してよ。荷物につかまっちゃ重いじゃないの」

　といった。男の子は、

「ぼく持って上げたのに」

　とベソをかいた。あの男の子の姿が、自分だったのかと、わたしはふとこっけいになったのだ。

「じゃ、ママのお酒にはつきあわなくてもいいのね」

「うん、まあな。そりゃあママは、早苗がそばにいたら慰められるだろうさ。しかしね、ほっといたほうがいいと思うんだよ」

「お兄さん、お兄さんはママがお酒を飲む理由がわかってるのね」

「いいや、ちっとも」

　兄は首を横にふった。とぼけているのかも知れないと思いながら、わたしはいった。

「何だか気になるのよ、わたし」

「気にすることはないさ。誰にだって、酒を飲みたいぐらいのことは、あるんだからなあ」

「あら、お兄さんにも?」

いつもひょろひょろとしている兄に、悩みなんかあるとは思えない。

「ああ、俺にだってあるよ。もう三センチ背が高かったら、という悩み。もうちょっと、女の子にもてたらという悩み。勉強しなくても成績が上がったらという悩み」

兄は声を立てて笑った。

「はぐらかすのねえ、お兄さんったら」

こんな兄が、わたしは好きなのだ。が、もの足りなくも思う。たった二人の兄妹だというのに、兄は自分の腹の中を割って見せてくれたことはない。いつも、ひょうきんなことをいっているだけだ。考えてみたら、わたしだって、沢先生のことも、奈津子さんのことも、お友だちのことも、あまりまじめに兄に話したことはない。ママだってパパだって、何か悩みがありそうなのに、それをわたしたちに語ってくれたことはない。悩みというのは、しょせん自分一人で負って行かなければならないものなのだろうか。わかち合える悩みと、わかち合えない悩みとが、この世にはあるのかも知れない。ただお互いに、何かは知らないけれど、みんな大きな、その人だけの荷を背負って歩いているのだと、わかって上げればよいのかも知れない。自分の人生を生きるということは、そうしたきびしいものなのかも知れない。

わたしは、部屋に戻ってからも考えつづけた。

（人間にはなぜ、共に負うことのできない悩みがあるのだろう。なぜ、わかち合うことのできない悩みがあるのだろう）

わたしは、交通事故で打った痛みが、激しかった幾日かを思い出した。あの痛みは、わたしだけの痛みだった。どんなにママがやさしく看病してくれても、ママはわたしの分まで痛むことはできなかったし、わたしの痛みはうすらぎもしなかった。いくら沢先生がお見舞いにきてくれても、やはり同じだった。痛むだけ痛まなければならなかったのだ。わたしは、わたしの手をママがじっと握っていてくれた時、ああこのママの体の中には何の痛みもない、と思ってその手を見つめたものだった。心の痛みにも、同じことがいえるのかも知れない。こちらで、いくら察して上げようとしても、その人の心の痛みはうすらがないということが、あるのかも知れない。

（孤独！）

わたしはそう思った。ママの涙の苦さ、きっとママは孤独なのだ。奈津子さんの今日のハラハラとこぼした涙、あれもやはり孤独なのだ。心が痛んで涙が出るのだ。涙は、言葉にならない言葉なのだ。否、悲鳴なのだ。

わたしは深い孤独の中に、自分がいるのを感じた。パパも孤独、ママも孤独、兄も孤独。その深い孤独を知らずに、のんきにいたわたし自身も孤独。それは、淋しいというような、そんな甘ったれたものとはちがう。ふっとわたしは、孤独な人間の群は、深い森のように思われた。しかもその森は、木の形をしていながら、みんな石でできているのだ。ひんやりと冷たい石で。それが、その石の森の姿が、孤独な人間の社会の姿のように、原型のようにわたしには思われた。

大学ノートをひらき、わたしは「孤独」「孤独」と書きちらし、「石の森」「石の森」と書いた。人々はみな、人生がこのように孤独なものと知って生きているのだろうか。人にぶちまけることのできない思いを、一生抱えつづけて生きていくのが、人生だと思っているのだろうか。

わたしは、人を信ずることができないという奈津子さんのことを思った。人を信じられないことと、自分の悩みを人に打ち明けないこととは、同じことなのだろうか。同じことなのかも知れない。人を信ずることができたら、自分の悩みを全部話すことができるかも知れない。そうも思う。が、そうでもないような気もする。

どんなに信じていても、愛していても、相手の痛みがそっくり自分の痛みとなるなんてそれはできないことなのだ。人間の思いやりには限りがある。貪欲なわたしたち人間は、自分の痛みをそっくりそのまま、他の人にもわかってほしいと思う。そもそも、これがまちがいのもとなのだ。人が自分と同じように痛まないからといって、結局は、いっても無駄だと心をとざしてしまう。

ここまで考えて、なおわたしには疑問が残った。とにかく、自分の痛みは自分が負うより仕方がない。わたしは何だか、外を歩きまわりたくなった。

「お兄さん、タバコきれてない？　買ってきて上げるわ」

出がけにわたしは、兄に声をかけた。ママに、どこに行くのといわれたら、タバコを買いに行くという口実を得るためにだ。

「へえー天気が変わるよ」

いいながらも、兄はピースを買ってきてくれといった。

暗い夜、星光《ほしかげ》もない。幸い、角のタバコ屋は休みだった。わたしはコートの衿を立てて、ゆっくりと暗い道を歩いて行った。

リンゴ園のそばまできた時だった。わたしは、半町ほど彼方の電燈の下に立つ二人の男女の姿を見て、はっと足をとめた。いや、正確にいうと、女の姿を見て足をとめたというべきだ。なぜなら、女の半身は電燈にぼんやりと照らし出されていたが、男の姿は黒い影に過ぎなかった。しかし、そこには確かに男がいた。その男は誰かわからない。ただ、淡い電燈の下に映し出されているのは、確かに彼女だった。奈津子さんだった。

彼女は、顔を上に上げた。そして何かいったかと思うと、次の瞬間、二人の影が暗闇の中にとけこんだ。暗い二つの影が、そこに静かに立っていた。わたしは後ずさりしたい思いだった。

(沢先生だ!)

わたしは直感した。それにしても、二人はなぜ、こんなところを歩いているのだろう。二つの影が遠ざかるのを、わたしは見守った。ひそやかに、足音をしのばせて、わたしは二人の後を追った。

第六章　孤　影

第七章　暗い道

第七章　暗い道

一

黒い二つの影を、遠く前方に見つめながら、わたしはひっそりとその影を追う。十歩、いや、二十歩もあとをつけた時、わたしはふいに立ちどまった。

（なぜわたしは、沢先生と奈津子さんのあとを追わねばならないのか）

しかも、足音をしのばせて。

（なぜ、足音をしのばせなければならないのか）

わたしは、わたしの今の姿を突き放して考えた。まるで、泥棒猫のように、そっと二人のあとをつけて行く自分。想像しただけで、わたしの誇りが許さなかった。追うならば、足音高く追うべきなのだ。なぜ二人に気づかれてはならないのだ。たとえ十歩でも二十歩でも、しのび足で二人のあとをつけた自分の姿を思うと、わたしはたまらない気がした。わたしの人生の中に、そんな卑屈な姿を、わたしは残してはならないのだと思った。

わたしはくるりとうしろをふり向き、また元の道に引き返した。ふり返りたい思いを必死にこらえて、わたしはずんずんと、暗いリンゴ園のそばの道を戻って行った。

（なぜわたしは、あの二人をつけようとしたのであろう）

　あとをつけて、一体どうなるというのだろう。

　沢先生は、ついこの間、この通りをわたしと歩いた時、わたしの顔を両手ではさみ、接吻しようとしたではないか。わたしを好きだといったではないか。

「男は誰だって、その子と結婚したいと思うだろうね。奈津子とその子とをくらべたら」

　先生はそういった。その子とは、わたしのことだった。その先生が、同じ道を、もう心が離れたはずの奈津子さんと寄りそって歩いて行く。何という裏切りだろう。奈津子さんにしても同じだ。

「いいのよ、わたしとあの人の愛はもう終わったんだから」

　彼女ははっきりとわたしにいったのだ。わたしは二人がそれぞれに好きだった。それは、ずいぶんと奇妙な情かも知れないけれど。わたしはどちらにも強く惹かれていたのだ。その二人に、今はっきりと裏切られたのを感じた。

　いや、裏切られたというのは、本当は当たっていないのかも知れない。もしかしたらわたしは、あの二人にからかわれていたのかも知れない。

（からかわれた!?）

　それは、裏切られたのよりも、もっと惨めだった。わたしは家の前を通り過ぎ、明るいバス通りのほうにぐんぐん歩いて行った。わたしの体の細胞が、今急速に変化しつつあるような感じだった。どのぐらい歩いたことだったろう。一時間、いや二時間も歩いたであろうか。歩いているうちに、わたしは明らかに自分が変貌《へんぼう》していくのを感じた。わたしはとめどなく自堕落になりたかった。

自堕落、それは、誰に対してもまともに問いかけず、まともに答えないことなのだ。あの二人がわたしをからかった以上、わたしは自分が自堕落になる権利があるような気がした。

明るいタバコ屋の前に通りかかった時、わたしは兄のタバコを買いに外に出たことを思い出した。が、もし兄のタバコを買うためでなくても、わたしは、きっとタバコ屋の前で立ちどまったろうと思う。わたしはタバコをふかしてみたかった。二本の指で、形よくタバコを咬《くわ》え、目を細めて、ゆっくりとタバコをふかしている自分を思い浮かべた。それは、何か自堕落な人間にふさわしい、退廃的なポーズに思われた。しかしわたしの激しい怒りとも失望とも虚無とも、形容のない思いの中での、それはままごとに似た自堕落にしか過ぎなかった。わたしは兄のためにピースを二つ買い、またぐんぐんと歩いて行った。信号が赤に変わった。赤でも、わたしは歩みをとめなかった。赤であろうが、青であろうが、そんなこの世の約束ごとは、いっさい無視したかった。

車が、激しく軋《きし》って、目の前でとまった。

「馬鹿野郎！　赤で飛び出す奴があるか」

運転台から、三十五、六の男が顔を出して喚いた。顔が青ざめていた。わたしはその顔を
ぼんやりと見、そのまま歩き出そうとした。

「待て！　待ちなさい！」

男が降りてきた。わたしはその男に、ひきずりこまれるように車の中に乗せられた。

「あんた、病気か」

車は真駒内《まこまない》のほうに向かって走り出していた。わたしは黙っていた。

「家はどこだ？」

やはり黙っていた。

「このままじゃ、一人で帰すわけにはいかない。車にひかれて死んでしまう」

車は駐車のきくところに行ってとまった。あたりは暗かった。

「ほんとに、君のうちはどこなんだい？」

わたしは黙って男を見た。その人は、暖かい目をしていた。わたしのことを、本当に心配しているまなざしだった。

「君はまだ二十《はたち》前だね」

わたしは、もうじき二十になることを、その時何ともいえない思いで思い出した。あと半月で、わたしは二十になるのだ。つまり、ティーンエイジャーではなくなるのだ。少女Sではなくなるのだ。罪を犯したら、はっきりと新聞記事に三木早苗の名前が出るのだ。

「君、黙っていると、ぼくはどこかへさらって行くよ」

冗談のように男はいった。

「どうぞ。さらって行って」

わたしは大胆に答えた。

「君……」

男はあわてたようにいい、

「そんなことをいっちゃ、困るじゃないか」

「いいの、さらって行って」

どんな男か、わかりはしない。よく、若い女の連続殺人事件が新聞を賑わす。わたしはこの男に、首をしめられて殺されてゆく自分を想像した。それでもいいと思った。本能的な恐怖感すら、わたしは完全に失っていた。

わたしの前から、沢先生が去っていった以上、もう何の喜びも残ってはいないのだ。沢先生が去ったことは、わたしの人生が去ったことだ。あの二人がわたしを裏切ったことは、わたしの人生を真っぷたつに切り裂いたことだ。

「よし！　それなら、さらってやろう」

「…………」

「さらわれるのがいやなら、君の住所をいいなさい」

「ご遠慮なく。さらってくだされぱいいわ」

わたしは自分の人生に、こんな投げやりな、自堕落な気分に襲われる日があろうとは、夢にも思わなかった。わたしは、ごく当たり前の、平凡な、そして時々、やさしいといわれる女の子に過ぎなかった。それが今、変にしぶとく自分を投げ出している。見も知らぬ男に、さらって行けと、平然といっている。こんな自分がこの「早苗ちゃん」の中にひそんでいたのだ。

男はギアを入れた。車は静かにすべり出した。

「君、男というのはね、女に何をするかわからないけだものなんだよ」

「何をしてもいいわ」

「そうか。何をしてもいいのか」

男は怒ったようにいい、スピードを上げた。車は高級住宅や、高層のマンションのある、外国の街のような真駒内を過ぎ、定山渓のほうに向かって走って行く。田舎道がつづく。

時折車が行き交う。追い抜いて行く車もある。男は何もいわない。車は簾舞《みすまい》を過ぎた。わたしはふいに、父の顔を思った。母を思い、兄を思った。もう何日も前に家を出たような、そんな気がした。

（どこまで行くんだろう）

なぜか、にわかに不安になってきた。あまりに男が黙っているからだ。車は国道をそれて横道に入った。何の木であろう、林が両側にある小道を過ぎて車はとまった。

「いいか、ここは、どんな大声を出しても、誰にも聞こえやしない」

男は助手席のわたしのほうを見た。

「…………」

「男というものは、女の体をメチャメチャにすることが好きなんだ」

「…………」

男の体がわたしのほうに近よった。

「生きたままメチャメチャにするのが好きな人間と……」

男は無気味に言葉を戸切らせ、

「殺してからメチャメチャにしたい人間がいる。わたしは、まずあんたを殺す」

声が低くなった。男の手がゆっくりと、わたしの首にのびた。両手が生あたたかく首に絡んだ。恐怖が全身をつらぬいた。何をされても、殺されてもいいと思っていたはずのわたしの全身が硬直した。

「助けて！」

　男は首を横にふった。

「死んでもらおう」

「いや、いや、助けて！　おねがい、助けて！」

「もう遅い。あんたのような娘が犯罪を誘発するんだ。男だけが悪いとは限らない」

「おねがい、助けて！」

　男の手は、わたしの首に絡みついたままだ。

「だめだ。死んでもらおう」

　男の手に力が入った。と思った次の瞬間、男の手が首を離れた。わたしは気を失いそうになった。とたんに、頬っぺたを殴られた。ハッと目を見ひらいたわたしをじろりと見て男はハンドルに手をかけた。

　車は方向を変え､元の道に戻った。男は黙ったままだ。わたしは恐ろしさにふるえていた。さっきまでは少しも恐ろしくなかったのに、今は恐ろしい。何と目まぐるしく心は変わるものなのだろう。

赤信号を渡る時は、死んでもいいと思っていた。が、今は切実に生きたいと思っている。さっきは、少しも恐ろしくなかった男が、今は異様なほどに恐ろしい。どれが本当のわたしなのだろう。どっちも、本当のわたしなんだ。暗い林の中を車は走る。国道を行く車の影が、はるか前方に見えた。

「ギィーッ」

車が急停車した。わたしの上体が前にのめった。危うくフロントガラスに頭を打ちつけるところだった。

「猫か」

車の前をよぎろうとする猫を避けて、急停車したのだ。わたしの首に手をかけて殺そうとした男が、猫を助けようとして急停車する。何れがこの男の本当の姿なのだろう。

車は再び走り出し、すぐに国道に出た。わたしは恐る恐る横顔を見た。どこへつれて行こうというのだろう。車は札幌に向かって再び帰って行く。わたしは逃げ出したいと思った。ちがう場所で、再びこの男の手が、わたしの首にかかるかも知れない。前方からパトカーがくるのが、ヘッドライトの中に見えた。

「降ろして！」

わたしは大声で叫んだ。男は知らんふりをしている。

「助けて！」

わたしはすれちがうパトカーに向かって叫んだ。警官が二人並んですわっていた。その一人がちらりとわたしを見た。

（助かる！）

そう思ったのも束の間、パトカーは見る間に後方へ過ぎ去ってしまった。

「静かにしなさい」

「降ろして！　降ろしてちょうだい」

男は黙った。

「降ろしてったら」

「君はさっき、さらって行けといったじゃないか」

突き放すように男はいう。

「それに、何をされてもいいって、いっただろう」

怒ったような口調だ。

二

しんしんと雪が降っている。昨日まで黒かった土が、一面の純白の世界となった。今日で十日、わたしは大学に行っていない。生きる意欲もない人間に、大学に行く気の起こらないのは当たり前だ。

「何だか、くたびれてるの」

おろおろとする母に、わたしはものうく答える。

「いいさ、いいさ。どうせ、早苗は勉強したくて大学に行ってるわけじゃないんだから」

兄はからかうようにわたしにいう。父も、

「交通事故の後遺症かも知れないね。また春になったら行くといいよ」

と、寛大だ。

結局は、父も母も兄も、腫《は》れものにさわるような態度で、わたしを見ている。

二十センチも積った雪を眺めながら、わたしは今日ほど雪の白さが無意味に見えたことがない。雪は、地を覆っているに過ぎないのだ。融ければ、また土が姿を現わす。雪が降ったって、地球が清浄になったわけではない。

あの夜、わたしが平岸のこの家に着いたのは、そうだ、もう十二時近かったのではないだろうか。タバコを買いに行ってあげるといって出かけたわたしが、一時間たっても帰らなかった時に、まず母が不安になったらしい。兄は、

「心配しなさんな、おふくろさん。早苗はその辺の喫茶店でおデートですよ。彼女、わが妹にしては、もてるからな」

といっていたそうだ。その兄も、十一時過ぎても帰らないわたしに、さすがに心配になって、サチ子やヨリ子や、そして、サトや恭子のところにまで電話をかけたらしい。そればかりか、沢謙三や、桐井奈津子にまで電話をかけたという。馬鹿馬鹿しい。誰に電話をかけようとかまわないが、あの二人にだけはかけてほしくなかった。

十二時近くになって帰ってきたわたしに、

「どこに行ってたんだ」

といったのは、兄だけだった。父も母も、

「お帰り。寒くなかったかい」

といっただけだった。いや、ママは、

「心配したわよ、早苗ちゃん」

と、泣き出したけれど、それでも、何があったのとも、どこに行っていたのとも、いい

はしなかった。

　その翌日から、わたしが学校に行かなくても、やはり誰も何もいわない。ふれることが恐ろしいのだ。そんな、はらはらとしたパパやママの神経が、わたしの心に逆に突き刺さる。

もしパパが、大きな声で、

「夜おそくまで、どこに行っていた！」

　と、どなってくれたなら、わたしはあの夜のことを、全部包まずに話したにちがいない。娘というものは、たまには親から叱られたいものなのだ。いつも叱られているのはかなわないけれど。

　ああ、ズベ公になりたいよう、世界一の悪い女になりたいよう、そう喚きたい気持ちだ。

わたしはあれ以来、

「いやよ」

　という言葉を、ひんぱんに使う。

「早苗ちゃん、ごはんにしない」

　ママが、甘いやさしい声でいうと、わたしは決まって、

「いやよ、食べたくないわ」

　と拒絶する。

「少しお散歩でもしたら」

　といわれると、

「いやよ、かまわないで」

　と、冷たく答える。パパが、

「この本読んでみないか。おもしろいよ」

　って、おずおずとすすめる時も、

「いやよ、そんな本」

　と、わたしははねつける。

　ああ、何とわたしは変わったのだろう。以前のわたしなら、たとえ食欲がなくても、さもおいしそうに食べたものだ。そして、

「ママ、おいしいわ。さっきチョコレートを食べちゃって、損したわ」

　などといい訳をしながら、残したものだ。たとえパパがむずかしい本を貸してくれても、

「あら、ちょうど、読みたかったのよ。うれしいわ、パパ」

　などと、飛び上がって喜んでみせたりしたものだ。拒絶という言葉は、まるでわたしの辞書にはなかったかのように。

　しかし、ハイといわないことは、何と淋しいことだろう。

「いやよ」

と、はねつけることによって、相手に傷をつけることの、何と侘しいことだろう。相手の傷が、深ければ深いほど、わたしの心もまたズタズタに傷ついているのだ。だがわたしは、やっぱり当分の間、この拒絶の姿勢を崩さないだろう。今までは、傷つけ合うこともできないほど、パパやママや兄が遠くにいた。只、お互いにいたわり合って、まるで社交界の人たちのように、心ない微笑を浮かべて、痛い時も痛いといえず、辛い時も辛いといわずにきたわたしたち。今、わたしは、拒絶によって、より近く、パパやママのそばにいたいと思うのだ。これもまた、素直でない偽りの生き方かも知れないけれど、今のわたしには、こう生きるより仕方がない思いなのだ。

あの夜、わたしを送ってきてくれた男、佐川芳雄。時々ふっとわたしは思い出す。あの人は、いったいどんな生活をしている人なのだろう。パトカーとすれちがった時、

「助けて！」

とわたしは叫んだ。が、パトカーはそのまま気づかずに過ぎ去ってしまった。

「降ろして！　降ろしてちょうだい！」

叫ぶわたしに、あの人は黙っていた。

「ね、おねがい、降ろしてったら」

「君はさっき、さらうぞといったら、どうぞといったじゃないか。さらって行けと、幾度もいったじゃないか」

　あの人は突き放すようにいった。

「…………」

「そのうえ、何をされてもいいって、いったじゃないか」

　怒ったような口調だった。

「……それは、いったけど……でも……」

「自分の言葉に責任を持ちなさい。いいかげんなことを口から出すんじゃない。何をされてもいいといったから、わたしはしたいことをする」

「いや、ゆるして！　ゆるしてったら」

「わたしはね、怒ってるんだ。赤信号でふらふらと飛び出したり、さらって行けといったり、そんな、自分の命を大事にしない奴が、わたしはこの世で一番嫌いなんだ」

　どきりとするような厳しい語調だった。

「そりゃあね、あんたはまだ十代だし、若い時というものは、無分別なものさ。いっぱし何でもわかっているようなつもりで、ちっともわかってやしない時代さ。勝手なことをしたくなることもあるだろう。それはわかる。しかしね、今夜の君は異常過ぎるよ。何があったか知らないが……」

わたしはオヤと思った。この人は、ついさっきわたしの首に両手をかけて、しめ殺そうとした男ではないのか。

「とにかく、もっと自分を大切にしなさい。われを忘れるということは、ある時は美しいが、しかし、またみにくいことでもあるのだよ」

あたたかい声音だった。

「あんた、失恋をしたのか」

わたしは黙っていた。これが失恋というものだろうか。わたしは愛されていると思っていた。それが、あの二人の睦まじい姿をみて、それは失恋というより、わたしには裏切りと思われた。愛してくれていた人が、その愛がさめたというのなら、まだ許せるような気がする。何か月か、何年かつづいた愛が、さめたというのなら、それもあり得るとあきらめることはできる。が、沢謙三（ああ、何と呪わしい名であることか）は、わたしについこの間、愛の告白をしたばかりではないか。その舌の根も乾かぬうちに、二人は寄り添って暗い道を歩いていた。

桐井奈津子は、もう会うことはないといっていたのに、そういったその日のうちに歩いていた。これでは手もなく、わたしは二人にまるめられたとしか、いいようがない。からかわれたとしかいいようがない。それはわたしに、捨てられた以上に、激しい屈辱を感じさせた。憤りと失望を感じた。

「そりゃあね、人生に失恋もあれば、裏切りもあるさ。自分よりも大事だと思っているものが、とつじょとして失われることだってこの世にはある」

車を札幌に向けて走らせながら、あの人は静かにいった。それは、奇妙に心に沁みる哀しみが秘められている言葉に思われた。

「あんたの、受けた傷は、みんなが一度は受ける傷かも知れない。いや、生きていくということは、傷つけ合うことかも知れないんだ。何の傷も受けずに、この人生を終われる者があるもんか」

「…………」

「あんたの受けた傷は、わたしより深いかどうか、それは知らない。だがねえ、わたしもいろんな傷を受けてきたよ。結婚して二年目、ぼくは一年ほど病気で入院した。病院から帰ってきた時、女房がほかの男と逃げてしまった。今の女房と結婚して、五年目にやっと子どもができた。その子は、二つのかわいい盛りに、原因不明の熱で一夜で死んだ」

「まあ！」

「事業が思わぬことで倒産してしまった。とにかくいろいろな苦しみを、わたしも体験したからね。今の君の気持ちが、わからないというわけじゃない」

わたしはその時、自分がひどくぜいたくな人間に思われた。

「人生というものは、とにかく、この一分後に何が起こるかわからないものなんだ。死ぬまでには、いろいろ辛い思いをするさ。肉親や友人との死別もある。ま、大変なことが待っているのが人生だ。そして、それを一つ一つ乗り越えて行くのが、本当の人生というものじゃないのかね」

「…………」

「とにかくねえ、あんたの命はたった一つしかないんだよ。そしてそれは、決してあんた自身のものじゃないんだよ」

「あら、じゃ誰のもの？　自分の命は自分のものでしょう」

「ちがう。自分のものじゃない。預ったものだ」

「預ったもの？　誰から？」

「創造者、つまり神からさ」

「神？」

「そう」

「…………」

「今わたしがいったことはねえ、決していいかげんに聞いてほしくないんだ。この世にはね、決して忘れてはいけない大事な言葉というものがある。命は神から預ったというのもその中の一つさ」

その人は、佐川芳雄という名だといい、名刺もくれた。K建設の社員だった。あの人は、わたしが赤信号の中にふらふらと入って行ったり、さらって行けといったりしたので、活を入れるつもりで、首をしめる真似をしたのだった。そういわれれば、あの人の手はやんわりとわたしの首にかかっただけで、決してしめ殺す手ではなかった。が、わたしは、首に手をかけられただけで、もうしめ殺されるような恐怖に脅えたのだ。

「わたし、堕落したいの。堕ちれるところまで堕ちたいの。そうしたら、浮かび上がれることだってあるでしょ」

「馬鹿だなあ、君は、罪というものが、ちっともわかっちゃいないんだね。人間は、深い淵の底に投げこまれたら、そう簡単に浮かび上がるというわけには、いかないんだよ。深い淵から浮かび上がった時は、死んだ時さ。罪を犯すと、自分を自堕落にしてしまうと、その罪に汚れた生活が、一生嫌な思い出としてまつわりつくし、その思い出が更に人間を歪めて行くことだってある。何もわざわざ努力して堕落することはない。そうでなくても、人間というものは充分に堕落している者だからね」

家のすぐそばまできた時、車から降り立ったわたしに、あの人はいった。

「今夜わたしのいった言葉は、君にはたいした意味を持たない言葉かも知れないね。よい地に種をまけば、その種はよく育つ。石地にまけば枯れてしまう。君はよい地か、石地か。まあ何かの時に思い出したら、その名刺のところに電話をくれ給え」

そういって、あの人は去って行った。

どうやらわたしは石地らしい。なぜって、翌日から学校を休み出したのだ。学校を休むことが、わたしの堕落する第一歩なのだ。朝起きて、母を手伝うこともやめた。ネグリジェのまま、着更えもせずに一日暮らした。

「何だい、着更えもできないのかよう。こりゃ大分ご重態だぜ。医者にかからなきゃあ」

兄は冗談のようにいったが、内心ひんしゅくしていたのだ。しめしめ、ざまあみろだ。髪にもブラシをかけなかった。これはわたし自身、大きな抵抗があった。つややかに光る髪、それがわたしの髪だった。朝晩、二百回ずつブラッシングをし、二日おきに自分で髪を巻き、セットをした。それが、ブラシどころか、櫛《くし》も入れず、乱れるままに委せておいた。乱れた髪の自分を見ると心まで乱れているように見えた。いや、やはり乱れているのだ。

あの夜、沢謙三から電話がきたという。わたしが家を出て、三十分も経たぬ頃だという。で、二人はデートしたのだと兄は思ったのかも知れない。が、そのことを翌日聞いた時、わたしの心は、前の夜よりも更に傷つけられた。わたしが家を出て三十分後といえば彼と彼女が、二人で歩いていた時から、何分もたってはいないことになる。多分彼は、奈津子さんと別れてすぐ、何食わぬ顔でわたしに電話をしたのだろう。

「人を信じられない」

奈津子さんのいった言葉が、改めて、わたしには意味深いものに思われた。わたしはノートをひらいて、ふだん自分の嫌っていた言葉を、賭けるだけ書こうとした。

「てやんでえ」

「くそったれ」

「まぬけ」

「エッチ」

「やろう」

「ど阿呆」

「初体験」

「乱交」

ここまで、書いてわたしのペンは動かなくなった。自分ながら不愉快だった。いやな言葉を一つ書くごとに、わたしの心が、どこか汚され、ささくれだってゆくのが感じられた。

そしてそれは、一度書いただけでも、何か二度と取り返しのつかないような不安な感じにした。堕ちるところまで堕ちようと決意したわたしの願いは、そう簡単には達せられないような気もした。が、反面、既に堕落しているような気がした。

雪の降っている外を見ていると、わたしはふと、裸足で飛び出したくなった。冷たい雪の上を素足で歩いて、足が凍えてゆく自分を想像した。それはひどく楽しい想像だった。が、それはあくまでも想像に過ぎなかった。わたしは自分に腹を立てた。ノートに汚い言葉を書くさえどれほども書けず、裸足で外を駆けまわることもできぬわたしが、甚《はなは》だしく無力に思われた。

わたしは、ふいにカロッサの小説を思い出した。「美しき惑いの年」だったか、何という小説であったか忘れた。とにかく、わたしはあの小説に出てくる女の真似をしようとした。わたしは、着ているネグリジェを脱ぎ、髪にブラシをかけた。ようやくつややかな髪が自分のものとなった。わたしは鏡をのぞき、大胆に微笑してみた。いつか、母の使い残しの口紅をもらっておいた。その口紅を、真っ赤に口に塗ってみた。健康で若々しいわたしの唇が、たちまちどぎつく、毒を持つ花のように見えた。

わたしは、下着を脱ぎ、ブラジャーを外し、肌につけているすべてを脱いだ。その上に、パパが去年買ってくれた毛皮のオーバーをじかに着た。毛皮のオーバーといっても裏が黒いラムで、上はなめしてある。ひざまでの、まるで蒙古人が着るような毛皮なのだ。これを着る度に、兄は、

「まるで、縫いぐるみの人形じゃねえか」

と笑う。それで、あまり着ることのなかったこのコートを、わたしは素裸の上にまとった。ストッキングだけは、太股までの長いナイロンのストッキングをはいた。

カロッサの小説に出てくる女は、こうやって街角に立ち、近づいてくる男たちに、そっとコートの前をあけて見せるのだ。男は驚き、そして迷う。こんな真似なら、わたしにもできる。

わたしはオーバーを着たまま、階下に降りて行った。

第七章　暗い道

第八章　ドアの内外

第八章　ドアの内外

一

このノートをひらくのは、何と三か月ぶりのこと。もう空の雲は、春を感じさせる。雪の降る間中、わたしは一体何をしていたのだろう。

軒の太い氷柱に、青い月の光がさしていた。それをじっと見つめていた夜、あれはいつのことだったのだろう。「凍る」という言葉をふと思う。

「針のない時計」

「飛べない鳥」

「鳴らないオルガン」

「笑えない少女」

凍るという言葉からの、わたしの連想。

そう、あの日わたしは、真っ裸の上に毛皮のオーバーを着て外に出た。いくら毛皮のオーバーでも、裸の上に着たのでは、裾から寒さが這い上がってきたっけ。

それで、わたしは車を拾い、行く先のないまま、

「北林《ほくりん》高校へ」

といった。学校の中で、パッとオーバーを脱ぎ捨てたら、みんなはどんなうろたえ方をすることか、思っただけでも胸が踊った。

（学校に裸で行くって、ステキじゃないか）

生まれたままの姿だもの。わたしはそう思っていた。行く途中に、高い塔のある教会が見えた。わたしはふっと、生まれたままの姿で学校に行くより、教会に行ったほうがもっとステキじゃないか、と思った。

そこで車を降り、七段ほどある階段を、わたしはゆっくり上がって行った。雪が斜めに降っていた。わたしがドアを開けようとした時、中からドアが開けられた。出てきたのは、もう六十を過ぎたと思われる、和服姿の女だった。その人は、目を真っ赤に泣きはらしていた。わたしを見ると、その人の目から涙があらたに盛り上がって、こらえかねたようにハンカチで顔を覆った。うしろから、同じ年頃の男の人が、うなだれて女のあとについてきた。それを見たとたん、わたしはいいようのない同情に、胸をしめつけられた。

大人があんなに泣くなんて、六十年も生きた人があんなに泣くなんて、決してなまやさしいことではない。それは多分、一人息子か一人娘に死なれでもしなければ、出ない涙のような気がした。つづいて出てきた男の人だって、顔をくしゃくしゃにしていた。わたしは怒ったように……誰に怒ったのだろう、むろんわたし自身に腹を立てていたのだ……通りに駆けて行った。そして、近くの地下街に入って、まるで競歩競争に出ているかのように、ぐんぐんと歩いたのだ。夏だか冬だかわからない。季節のない地下街。どんよりと、空気がよどんでいる地下街。一筋の太陽の光もささず、人工の光に照らし出されている地下街。ショーウインドウにスキーが飾られ、歩いている人々が、オーバーコートを着ているから、冬だとわかる地下街、わたしはその中を、ああ、どんな顔をして歩いていたのだろう。泣いていた女の人の顔が目にちらついて、わたしはわたしを責めていた。

（教会という所は、あんなにたくさん涙のあふれる人が行く所なのだ。裸に、毛皮のオーバーを着た、不逞《ふてい》な娘が訪ねる所ではないのだ）

わたしはひどく恥ずかしかった。本当に恥ずかしかったのだ。裸を見られるよりも、もっともっと恥ずかしかったのだ。

場ちがい……それは、よそ様の客間をトイレとまちがうこと……もいいとこだ。歩き疲れて立ちどまったわたしの傍に、ショーウインドウがあった。宝石屋のショーウインドウだ。大きな岩の断面に、紫水晶が無数に輝いている。さわればひんやりとした感触だろうと思いながら、わたしはその水晶の輝きを見ていた。この地球のどこかに、この水晶は何万年となく、ひっそりと埋もれていたにちがいない。こんなにも美しく。

そして多分、この地球には、まだまだ多くの水晶や、ダイヤモンドや、エメラルドが、誰の目にもふれずに、ひっそりと埋もれているのだろう。

こんなにも美しいものが、誰の目にもふれないなんて！　何だか、ざまあ見ろと叫びたい感じだ。それは、宝石たちに対してではなく、見ることのできない人間共に対してだ。

水晶を眺めながら、

「この水晶は死んでいるのだろうか。もしかしたら生きているのではないだろうか」

と思った時、傍で、

「ああ、うまそうな水晶だな」

という男の声がした。驚いてわたしはその顔を見た。ひどく柔和な、品のいい、しかし少年のように素直なまなざしの青年だった。美しいといわずに、うまそうだといったその青年に、わたしは心惹かれた。この人は、あの泣いていた女の人を見たら、何というだろう。

水晶の横に、オパールやヒスイや、ダイヤを載せた、緑の小さな丸いテーブルがゆっくりとまわっていた。

ダイヤ　九百六十万
エメラルド　千五百万
ヒスイ　五百八十万

正札を眺めながら、宝石って、何て小生意気な存在かと思う。

「千五百万あったら、大きな家が建つんだぞ」

さっきの男の人じゃないけれど、ダイヤもエメラルドも、かりかりとかじって、噛みくだいてやりたいような気がした。

そう、そしてその帰りに思ったこと。

コートの下が素裸であろうとなかろうと、結局は誰もが、脱げば裸ではないか。僅か二枚か三枚の差だ。本質的に人間はみな同じなのだ。不意につまらなくなって、笑いたくなった。だからわたしは、さっさと家に帰ってきた。帰る途中、本当に、単に二枚か三枚の差に過ぎないのであろうか。この二枚か三枚の差が、生き方の大きな差となってはいないのだろうか。

そう思いながら、車から降りて玄関のドアをあけた時、わたしはハッとした。彼が立っていたのだ。沢謙三が立っていたのだった。

二

人生には、決して忘れられないという光景が幾つかある。例えば、はじめて幼稚園に入園した日の、あの眩ゆいような光景。通りがかりに見た交通事故の現場。

「君が好きだ」

と、はじめてわたしにいった中学の同級生が、いきなり泣き出しそうな顔になって、校庭のライラックの木の傍を走り去った姿、などなど。

彼が、あの初冬の日、外から入ってきたわたしを見て、いいようもなくうれしそうな、そしてやさしいまなざしで、じっと見つめた目も、わたしには一生忘れられないことのひとつだろう。

「いくら呼んでも、誰も出てこないので、帰ろうと思っていたところですよ。よかった、君に会えて」

彼は、うれしさをどのように表現してよいかわからぬ様子で、わたしに近づいた。わたしは黙って彼のそばをすりぬけ、さっさと茶の間に入って行った。

「お邪魔しますよ」

返事をする前に、彼はもう茶の間に入ってきていた。わたしは部屋のまん中に立ったまま、固い表情で彼を見た。

ママは一体どこに行ったのだろう。ママは、近所への買物なら、いつも鍵をかけずに行くのだ。鍵をかけておくと、留守だということがはっきりして、かえって空巣に狙《ねら》われるというのが、彼女の持論なのだ。時計は午後三時だった。多分、近くのマーケットに行ったのだろうとは思いながらも、わたしは落ちつかなかった。

「どうしたの、早苗さん。ぼくは何度も電話をかけたのに、どうして出てくれなかったの」

わたしは唇を噛んだ。あのリンゴ園のそばで見た奈津子と彼の姿が目に浮かんだ。

「ごきげんが悪いんだね。どうしたというの。君らしくない」

彼はコートを脱いで、ソファにすわると、いつものように美しい微笑をした。誰が見たって、胸がどきっとするようなチャーミングな微笑。北林高校の校庭で、女生徒たちがキャアキャアと騒いでいたのは、この微笑のせいかもしれない。わたしは抗《あらが》うように突っ立ったまま彼を見た。微笑なんかにごまかされはしない。

「何か誤解をしているようだね、どうやら……」

彼はタバコに火をつけ、

「何を怒っているのか、いってごらん」

と静かにいった。

「いうことなんか、ありません」

「切口上だね。それが、いうことがあるという証拠さ」

ゆったりとしたもののいい方が、わたしをいらいらさせた。

「じゃ、いうわ。先生は十日ほど前の夜、奈津子さんと、このすぐ近くのリンゴ園のそばを歩いていらしたわね」

「奈津子と?」

いぶかしげに、澄んだ目がわたしを見上げた。

「そうよ」

「早苗さん、ぼくは、君とこの辺を歩いたことはあるけど、奈津子と歩いたことはないよ。第一、どうしてぼくと奈津子がこの辺りを歩かなければならないんだろう」

彼は馬鹿馬鹿しそうに笑いだした。

「笑ってごまかさないで」

「ごまかしはしないよ。ごまかすほど、ぼくは老獪じゃない。いや、ごまかさなさすぎるのが、ぼくの欠点なくらいだ」

「でも、わたし見たのよ。奈津子さんがあなたと歩いていたのを」

「何時頃？」

「もう暗かったわ。八時を過ぎていたと思うわ」

「すぐそばで見たの」

「ちょっと離れていたけれど、街燈の光の下で、はっきりと奈津子さんの顔とわかったわ」

「そして、男は確かにぼくだった？」

「だって、あんなに奈津子さんが、親しそうに肩を並べて歩く人が、あなた以外にあって？」

「…………」

彼はタバコの火をもみ消しながら、何か考えるようなまなざしになった。

「ね、先生でしょ、あの時の人」

「……そうか。ぼくだと思ったのか。……早苗さん、とにかく、オーバーなんか脱いで、ここにきてすわりなさい」

「いやよ」

「馬鹿だなあ。思いちがいをしたりして」

「思いちがいじゃないわ」

「思いちがいさ。君は奈津子を見て、てっきり相手はぼくだと思ったから、ぼくの姿に見えただけさ」

自信ありげに彼はいった。

「ま、大体相手の男は見当はつくがね」

「誰なの、誰だというの」

「もう怒るのはおやめ」

彼は立ってわたしのそばにき、肩に手をおいた。

「ゆっくりと話をしようよ。とにかくね、その男はぼくじゃない。ぼくは奈津子とは、しばらく会っていないからね。第一、どんな女とも暗い道なんか歩いたことはないよ」

彼はわたしのすぐ傍に立った。

「じゃ……わたしは……」

見まちがいだったのだろうか。

(まさか)

わたしは自信がなくなった。

「やっと、早苗さんの顔になったね。さ、ぼくがオーバーを脱がせて上げよう。君はぼくの大事な人なんだから」

身を引いたが遅かった。彼の両手がオーバーのボタンにかかっていた。

「いや!　さわらないで!」

彼は笑いながら、

「もう仲なおりをしたんだ。だから、ぼくが脱がせて上げるよ」

体がすくんだ。上のボタンがひとつ外された。ハッと彼の手がとまった。彼は見たのだ。オーバーの下に、スリップ一枚着ていないことを。たちまち彼の顔色が変わった。

「君は！」

彼の声が鋭かった。

「君は！　こんな姿で、どこをほっつき歩いていたんだ」

歪んだ顔が大きく目の前にあった。と思った瞬間、

「そうか、君はこんな女だったのか」

吐き捨てるようにいうと、身をひるがえして玄関に出て行った。

「ちがう！　待って、ちがうわ！」

わたしは叫んだ。が、彼の姿はもうなかった。

「そうか、君はこんな女だったのか」

蔑《さげす》みの言葉が、エコーのように耳にひびく。わたしは呆然《ぼうぜん》と立っていた。

（ちがう！　わたしはそんな女じゃない）

心の中で叫びながら、わたしは力なく自分の部屋に上がって行った。

何という馬鹿なわたしだろう。なぜ、すぐに二階に上がって、着更えてから彼と話をしなかったのだろう。いくら思いがけなく彼が目の前に現われたからといって……。

人間はそんなふうに、ひどく愚かしい時があるものだ。後で考えれば、腹立たしくなるほど愚かしいことを、したりいったりするものなのだ。

「君はこんな女だったのか」

つまり、彼はわたしが、体を売る女とでも思ったのだろうか。あの時わたしは、

(ちがう、ちがう、わたしはそんな女じゃない)

と叫びつづけた。が、気持ちが次第におさまるにつれて、わたしは、ちがうとはっきりいい切れないものを、見出さぬわけにはいかなかった。

第一わたしは、カロッサの小説に出てくる街娼《がいしょう》の真似をしたかったのだ。体を売る気はなかったが、裸の自分を誰かに見せて驚かせて見たい思いは、充分にあったはずだ。その誰かとは、不特定多数の男性であった。ただその中に、沢謙三だけは決して入っていなかった、といえるような気がする。が、彼がわたしを誤解したといい切れないものを感じて、わたしは打ちのめされた。一方、あんな思い切ったことをわたしにさせたのは、あの夜の、あの二人のうしろ姿だったのだ。仕方がないではないかといいたい思いがある。しかもそれは、彼への純真な思いを踏みにじられたわたしの狂気だったのだ。

わたしは、たったそれだけのことに狂気するほど、弱い愚かな、けれどもひたすらな娘なのだ。ああ、このひたすらな彼への傾斜を、彼が知っていてくれたら。でも、もう駄目だ。どうやってわたしは、彼の、

「君はこんな女だったのか」

という、あの蔑みを取り消すことができるか。素裸の上にオーバーを着たという事実を彼は彼の目ではっきりと見たのだ。そしてそれが、淫奔《いんぽん》という、最も忌《い》むべき女の姿として、彼に焼きついてしまったのだ。

あの日、わたしがどこで何をしていたか、何を思っていたか、誰が彼に証明してくれるだろう。彼の思いの中に、多分わたしが、どこかの男と淫らなことをしたという想像があったなら……。それはおそらく、取り除くことのできない映像となって、彼の胸に焼きつけられているにちがいない。

彼の胸の中にある、三木早苗という女の姿。それはただ「淫ら」という一語につきるのだ。百万言を尽くしてみても、それは無駄だ。多分語れば語るほど、語った言葉の数ほど、彼は誤解をするにちがいない。この世には、そうした解き得ない誤解がある。わたしが悪かったのだ。馬鹿だったのだ。そう思いながらも、人間だもの、あんな気持ちになることがあったっていいじゃないか。それがそんなに責められるべきことかと、いいたい思いがある。

誤解されたのなら、誤解されたままの女になってやろうか。わたしはそう思うことがある。あれから幾度、彼に電話をかけたことだろう。が、わたしの声を聞いただけで、彼は電話を切った。ひとことも、わたしの声は聞くまいとして。手紙も書いた。だが恐らく、彼はストーブの中に、そのまま焼き捨てたにちがいない。多分封も切らずに……。

いや、もし読んだとしても、それは読まないより更に、彼を不快にさせたにちがいない。

彼からは何の返事もない。

三

このひと冬、わたしは惨憺たる冬を送ってきた。傍目には、どんなわたしに映ったか、それは知らない。

「何だか、陽気になったじゃないか。うす気味悪いよ」

兄がぼそりといったことがあった。

そう、あれは兄と、兄の友だちと、そしてわたしと、わたしの友人三、四人と、総勢十人ほどで、手稲のスキー場に行った時だった。手稲の雪が麓から純白だった。街の中の、灰をかぶったような、うす汚れた雪とはまったく異質の雪に思われた。純白の雪の上に、光が散乱していた。雪に無数の面があった。

わたしたちは、スキーを車の屋根にくくりつけた。わたしの車は、兄の友人のみんなから「ノロさん」と呼ばれている気のいい学生の運転だった。ノロさんの運転は慎重で、なるほどノロさんだと思った。麓には、ねじれたようなリンゴの木のたくさんあるリンゴ園が、ここにもあった。

「ありゃりゃ」

ノロさんが叫んだ。見ると、四十近い男の人がリュックを背負って、道の傍を滑り降りてくる。見るとそのリュックに、首だけちょこんと出した二つ位の男の子がいるではないか。

「ウヒウヒウヒ」

兄の友人の「北さん」という医学生が、劇画の中のような笑い方をした。真似てわたしも、同じように笑った。それが何となく、リュックサックの子どもを見た時の気持ちをぴたりと現わしているように思えたからだ。あの時も兄は、ひどく奇妙な顔をして、

「やったぜ、ベイビイ」

と、もう何年も前の歌の文句をぽつりといった。

あの時、わたしの気持ちは確実にたかぶっていた。それは兄も知らないことだけれど、わたしは知っていたのだ。その日、沢先生が手稲に、スキー部の生徒たちと一緒にきていたことを。前の日、近所の肉屋の娘が、先客の同級生らしい女の子と、

「明日、手稲に行くのよ、ケンさまと」

「うまくやってるぅ」

そういっていたのだ。彼女は北林高校の生徒なのだ。だからわたしは、兄をつついて、友だちを誘ってやってきたのだ。ナナカマドの赤い実がまだ残っていた。真っ白な雪をかぶって、可憐だった。

上に行くに従って、チャコールグレーの枯木と、黒々とした常緑樹と、白い雪のコントラストが、いいようもなく美しかった。

「やあ、こりゃあ雪のガードレールだ」

車よりも高い両側の雪。除雪車で整備された道の両側は、切り取ったような断面を見せている。

前の車がとまった。三台の車から、みんなが降り立った。ふり返ると弧を描く海岸線が、はるか下方にくっきりと見えた。石狩湾だ。青ぐろい海だ。わたしはふっと、あの冬の海に入って死にたいような気がした。これからスキー場で会うかも知れない沢先生の表情が

わたしに死を思わせたのだ。

「君はそんな女だったのか」

まだあの言葉が耳に突き刺さっている。

海の白波が盆景のように動かない。あの言葉がわたしの耳に微動だにせず突き刺さっているのと同じように。

「おい、クリスマス・ツリーのような松が、ぞっくりあるじゃないか」

兄がいった。

「へえ、お安くしておきます。一本二百円でいかが」

ノロさんが笑う。

スキー場には、彼がいた。二百人近い人が滑っていたが、わたしはすぐに、その人々の中から、彼の姿を見出すことができた。それは、愛するものの本能的な一つの嗅覚のようなものだ。わたしは鉄面皮《てつめんぴ》な女のように、彼をめがけて滑って行った。彼のまわりには、女子高校生が群がっている。そしてかの美しい女教師もいた。彼が女高生たちに、スキーのテクニックを教えていた。女高生たちは彼にならって、両ひざを揃え、そのひざを右に曲げ左に曲げて、回転の練習をしていた。

「だめだめ。もっとぐっと腰を落とす」

凜とした声が、わたしの胸にいいようもなく、懐かしくひびいた。あれから二か月会っていなかった。サングラスをかけた彼は、素敵だった。彼はわたしに気づかない。

「スミちゃん、そんなに気どらないで。そう、その調子」

スミちゃんと呼ばれた女高生に、わたしは嫉妬した。もう決して、彼はわたしを呼ぶことはないのだ。

「じゃ、その姿勢でここまで滑ってきてごらん。ここで見ていてあげる」

生徒たちは、三々五々斜面を登って行った。女教師と彼が残った。少し離れてわたしも立っていた。二人は何か楽しげに話していた。何をいっているのか、低い声なのでわからない。

彼も女教師も、同じ黄色のヤッケを着ていた。

（お揃いか、偶然か）

わたしは、レモン色のヤッケを着ている。四、五メートル離れてじっと立っているわたしに、彼は気づかないらしい。わたしもサングラスをかけていた。目が隠れているということは、顔が半分隠れているようなものだ。

印象がぐっと変わる。

やがて女教師が、生徒たちのほうに登って行った。彼が一人になった。絶好のチャンスだ。わたしは近よった。彼はそのわたしを無視した。生徒たちのほうに目をやっている。

「沢先生」

呼んだが、彼は見向きもしなかった。知っていたのだ。わたしがそこに立っていたのを彼はちゃんと知っていたのだ。

「沢先生、早苗です」

返事はない。わたしは泣き出したくなった。その時、ノロさんがわたしを目がけて滑ってきた。

「なあんだ、こんな所にいたの。ウヒウヒ、行こうじゃない」

さっきの車の中で、ウヒウヒとふざけて笑った続きのせりふなのだが、知らぬ人が聞くと、ひどく下品に聞こえるにちがいなかった。わたしは彼のそばを離れた。彼は、遂にひとことも発しなかった。

その日の帰り、わたしは悪酔いでもしているようにゲラゲラと笑ってばかりいた。夕茜雲が手稲の山に降りていた。わたしは、茜雲が、すぐ目の前にあるのを見たのは、はじめてだった。白い雲が、茜雲にうっすらとピンクに映えている。

「綿飴みたい。あの綿飴を食べたい」

わたしは駄々っ児のようにいい、わたしたち一行の車は、方向を転じて湧き上がる茜雲の中に入って行ったのだった。

だが、いいようのないむなしさが、バラ色に染まるはずもなかった。天国のように美しい朱い雲の中にあって、わたしは自分が、氷のように冷たく冷えて行くのを感じた。みんな、はしゃいで雲の中でうたった。

〝友よ　行こう
はるかな　国へ
ふしぎな　歌の
生まれる　国へ〟

うたい終わって、みんなが妙にしんみりとなった時、わたしは大声で叫んだ。

「助けてえ……」

みんながギョッとしたように、わたしを見た。わたしはゲラゲラと笑った。傍の雪によりかかって、笑い崩れた。

そんなことがあった。

四

「会いたいの。顔を見たいの」

　奈津子さんから電話がきたのは、手稲にスキーに行った日から、三日ほどたった時だった。

「わたしは、今、誰にも会いたくないの」

　本当はわたしは、奈津子さんには会ってみたかった。あのリンゴ園の傍を歩いていたのは、奈津子さんと誰であったか、聞きたくもあった。それよりも、彼女を誤解していたことを詫びたくもあった。むろん、あれから彼女とは会っていない。だから彼女のほうでは、誤解されたとも思ってはいなかったろうけれど。

「一体、どうしたのよ、あなたらしくもない」

　例の、まろやかな声だ。何と魅惑的な声なのだろう。

「何でもないの。ただ……」

「ただ？　どうしたのよ」

「ただ……あなたに幾度電話してもいなかったし……」

「なあんだ、わたしが黙って札幌を留守にしたことを怒っていたの。かわいい人ね。わたしはね、根室《ねむろ》に行っていたのよ。正確にいうと尾岱沼《おだいとう》ね。クリスマスとお正月はあそこで過ごして、思い立って倉敷に行ってきたの」

「そう、どこにいらっしゃろうとご自由よ」

「変ねえ、どうも早苗ちゃんらしくないわ。何か魔法にかかったみたい。ね、心配だわ、本当に会いたいわ」

「会いたければ、わたしのうちにいらっしゃれば」

「…………」

ちょっと奈津子さんは沈黙した。

「そうねえ、でもわたし、お友だちのうちって、あまり訪ねたことがないのよ」

そんなこと、理由にならないような気がする。でも考えてみると、わたしだって、サチ子やヨリ子だっておんなじだ。友だちの家っていやなものだ。どんなに好意的にその家族に迎えられても、うさん臭げに観察されているような気がするのだ。いちいちかしこまって、お辞儀をして、あの関所を通るような気持ちっていやなものだ。

（どんな家の娘かしら）

（あまり躾けがよくない）

（器量だって、うちの娘のほうがいい）

（成績はどっちのほうがいいのかしら）

（着ているもののセンスが、少しねえ）

　etc。わが子がかわいい親たちは、無意識のうちに、娘とその友だちを比べる。驚くほど素早く評価しているものなのだ。それはつまりは、本能的な敵意から生まれたものなのだ。若い者たちは、大人のそれを敏感に感じとっている。奈津子さんのような、一風変わった若い女性が、レディメイドの好きな親たちに、微妙な反応を引き起こすことは確実だ。

「いいわ。じゃ、どこでお会いする？」

「早苗さん、うちへいらっしゃいよ」

「いやよ」

「なぜ？」

　北林高校が近くにあるじゃないのと、わたしはいいたかった。それにしても、何と奈津子さんの神経は、ふしぎな神経だ。北林高校の前を通らなければ街には出られない。車にしてもバスにしても、奈津子さんは一体、沢先生をどのように思っているのだろう。そんなことを思いながら、

「どこかでお茶を飲みたいわ」

　と、わたしは少し甘えるようにいった。

　わたしは平岸からは地下鉄に乗って、大通りで降りた。地下鉄に乗っていた人の顔は、どれも憂鬱そうだった。どうして、こううれしそうな顔がどこにもないのだろう。誰もが物憂げで、あるいは詰まらなそうな顔で、アンニュイな顔だ。人生というのは、誰にとっても、詰まらなく退屈なものなのか。お互いがお互いに無関心で、銘々が勝手なことを考えている。その勝手なことを考えている人間共を、ひとつの所に押しこめて運んで行く。それは、いってみれば人生の縮図のようなものかも知れない。

　わたしは階段をのろのろと上がりながら、これから奈津子さんと会って、一体わたしは何を話そうとするのだろうと思った。今となっては、奈津子さんが、あの夜歩いていた相手が沢先生であろうと、誰であろうと、もうどうでもいいことなのだ。

　そう思いながら、わたしは彼女と会う喫茶店ニレのドアを押しあけた。

第九章　断ち切れぬ水

第九章　断ち切れぬ水

一

喫茶店の中はうす暗かった。外の雪が眩しくて、それで暗く見えたのかも知れない。その店のひろさが、二十坪ばかりあるとわかるまで、二十秒はかかった。奈津子さんはまだきていなかった。何となくわたしはほっとした。いきなり彼女の前に現われるには、心もとない心理状態だったのだ。あの魅惑的な視線でじっと見つめられたら、わたしはきっとへどもどして、妙なことを口走るかも知れないのだ。

入口から一番遠い席にすわって、わたしはドアのほうを見た。彼女がいきなり近づいてきて、気がついた時には目の前にいたなんていうことのないように。

斜め向かいに、若い女の子が、わたしと同じように誰かを待っている。彼女はドアに背を向けて、ときおり入口のほうをふり返っていた。色白の、何か幸せうすい感じが、その淋しげな表情に漂っている。わたしは、彼女がどんな人を待っているのだろうかと、想像した。

（恋人だろうか）

恋人だとしたら、その恋はもうこわれかかっているのだろう。あるいは、その待っている人はここにはこないかも知れない。彼女はもう、かなり前からここに人を待っている様子だった。

彼女が何度めかにドアの方を見た時だった。入口に、五十近い紳士が静かに店の中を見まわしていた。彼女は立ち上がった。その人は彼女を見つけて、歩みよってきた。彼女はすぐに腰をおろした。が、その全身にあふれる喜びは、見ていて何か哀れになるほどだった。

「ごめん、ごめん。会社の出がけに客があってね」

品のよい声音だった。彼女は小さく何か答えた。

（父親だろうか）

若い恋人ではなかったことに、わたしは何となくほっとした。若い女性にとって、恋人がいるということは、それほど幸せなことではない。なぜなら、その恋人は、いつ自分から離れていくか、わからないからだ。いつ、どんな女性にひかれていくか、わからないからだ。恋人を得た喜びは束の間だが、失った哀しみは、一生心に傷を残す。

若い女の子にとって、

（どんな恋人が現れるかしら）

と、待っている時の方が、本当は幸せなのだ。わたしは沢先生のことを思った。わたし

のオーバーに手をかけ、オーバーの下に何も着ていないと知った時、

「そうか、君はこんな女だったのか」

　吐き捨てるようにいって、彼は去ったのだ。何という馬鹿げた捨てられ方をしたものだろう。あの時から、わたしの心の中に点《とも》っていた燈は消えた。望みは消えた。人間にとって、希望を失うということは、死んだも同然なのだ。あれ以来のわたしといったら、そう、生きながら徐々に腐《くさ》れはじめている、といった具合だ。心が毎日、何ものかによって蝕《むし》ばまれていく。心から笑うなんてことは、一度もない。泣くことさえ、わたしにはなくなった。人間、笑うことができなくなった時は、まだ終わりではない。が、泣くことができなくなった時は、the end だ。

　三木早苗のヒストリーは終わった。全生涯は終わった。そんな感じだ。今生きているのは、一体誰なのだろう。わたしであって、わたしではない。

　戸口に目をやりながら、わたしはぼんやりとそんなことを考える。三人づれの女性が出て行った。黒いドアをあけた時、外の雪がちらりと見え、そして消えた。

　斜め向かいに、さっきの女の子は男の人と何か熱心に語り合っている。何とその女の子の生き生きとした表情であることよ。わたしは裏切られたような感じがした。なぜなら、さっきまでのあの不幸せを感じさせせた淋しげな表情は、もうみじんもないからだ。

（父親ではない！）

娘というものは、父親にあんなうれしそうな顔で話はしない。父親なんて、何となく照れくさい存在なのだ。だから娘たちは、父親の前に出ると、ちょっとふくれっ面をしてみたり、軽蔑したような顔をしたり、するものなのだ。

どう見ても、恋人と話しているような顔だと思いながら、しかし、まさかと思う。どう見ても三十以上は年が離れて見える。そう思った時だった。男の手が、女の子の手をぐっと握った。女の子は光る目で、相手をじっと見上げている。恋する者の目であった。わたしは目をそらした。いいがたい不快さに、腹が立った。

が、なぜ不快なのか、わたしは知らない。五十近いその人には、きっと妻や子がいるにちがいない。そう思っただけで、わたしは二人がひどく不潔に見えたのだ。不潔なんていうと、分別臭い小母さま族のような感覚かも知れないけれど、決してそうではない。わたしたち若い娘は、ひどく潔癖なものなのだ。ずいぶん無軌道なことをするようで、とんだモラリストということだってあるのだ。

その時、ウエイターの、

「あの、三木早苗さまはおいででしょうか。お電話でございます」

という声がした。わたしは、むずかしい質問を教授に尋ねられた時のように、ハッと緊張して立ち上がった。

　カウンターの電話に近づくと、ウエイターが受話器を渡してくれた。その小指の爪が、ひどく長く伸びているのを見た時、わたしは何か不快な思いに襲われた。

「もしもし、早苗ですけれど」

「ごめんなさい、お待たせして。出かけようと思ったら、家の前でちょっと足をすべらせてしまったの」

「じゃ、おけがでも？」

「ちょっと、ねんざしただけだけど」

「まあ！　痛い？」

「痛いの。歩くには無理みたい。でも会いたいの。きてくださる？」

　沢先生のいる北林高校の前を通らなければ奈津子さんの家には行けない。ちょっとためらったが、

「参ります」

　わたしはそういった。足を痛めたと聞けば断わるわけにもいかない。わたしは店を出て車を拾った。街は、赤、黄、茶、黒、緑、さまざまなカラフルなコートで賑わっていた。昨夜まで降りつづいた雪のために、いつもはうす汚れている札幌の街がひどく新鮮に見え

る。

だが、わたしの胸の中には、

（新鮮に見えるからって、どうだっていうの）

といいたいような、ふてくされた思いがあった。どうして雪は降りやんだのだろう。どしどしと降りつもればいいのに。一階の家が埋められ、やがて二階の家も埋められ、三階四階、すべての家が雪の下になる。

この札幌の街が、雪の下に降りこめられて滅びたとしたら、ああそれはなんとステキなことだろう。地震で滅びたとか、大火で滅びたとか、いうのとはまったくちがう。純白の雪におおわれて滅び去った百万都市。それは永久に、世界の歴史に名をとどめるにちがいない。

そんな馬鹿げたことを考えながら、わたしは見知らぬ街を見るように、じろじろと窓外の街を見た。屋根に上がって、雪をおろしている男がいた。そのスコップの先から、雪がなだれて落ちた。男がニヤッと笑った。わたしは何となく、ニヤッとしたその顔に、その男の暗い部分を見たような気がした。

（笑うと暗くなる顔）

そんなことをぼんやり考える。

車は北林高校に近づいていた。勢いをつけて車は高台に登って行く。札幌の街が白い。空が煙によどんでいる。ひと所、澄んだ青空が見えるのは、あれは風の通る道であろうか。北林高校の校庭に、二、三人女生徒の姿が見えた。みんな紺のオーバーに、太いベルトをしめ、重そうなカバンをぶらさげて歩いてくる。

（わたしにもあんなころがあった）

わずか一年前の高校時代の自分の姿が、遠い昔のことに思われる。あの生徒たちが、きょうも彼に習って帰ってくるのだろうか。この校舎のどこかに彼がいると思うだけで、胸が痛い。わたしはじっと、北林高校の校舎に目をやっていたが、車はすぐの間に過ぎ去った。白樺並木の坂道を登って、見覚えのある彼女のいるマンションの前にきた。降りる時、運転手がいった。

「お客さん、元気を出してくださいよ」

「え？」

車は走り出していた。行きずりの運転手に元気を出せといわれたのは、はじめてだ。わたしは自分が他人の目にどのように映るかを知って侘しかった。どんなに生きることがつまらなくても、見るからに元気がないなどというのは、もの欲しそうでいやだ。わたしは顔を上げ、胸を張って、一歩一歩踏みしめるように階段を上がって行った。

二

重い木のドアをノックすると中から声があった。

「どうぞ」

ドアをあけると、リビングキッチンのドアが開いており、ソファに腰かけている彼女の黒いパンタロンが見えた。

「こんにちは」

わたしは無邪気そうに挨拶をし、彼女の足を見た。

「どうなさったの？　まだ痛いの」

彼女は黒いパンタロンに、黒いトックリのセーターを着、胸に水色の大きなペンダントをぶら下げている。それがハッとするほどよく似合った。似合うのも道理だ。彼女の部屋は、ジュータンもソファも淡い水色で、カーテンがブルーときている。それで、黒いセーターに下げた水色のペンダントが、いっそうシックに見えたのだ。

「よくきてくれたわね」

いつもに似合わず、彼女の声が少しかすれた。

「痛いの?」

　同じ言葉をわたしはくり返す。だって、いまの彼女に、それ以外の何の言葉が必要だろう。

「少しだけね。それよりも痩せたみたいよ、早苗さん」

　いつも半眼で眠ったような目をしている彼女が、さわやかに目をひらく。長いまつ毛がけぶるようだ。美しいと、わたしは息をのんで彼女を見た。まったくの話、ひざまずきたいような衝動をさえ感じた。

「そうかしら、痩せたかしら。足に薬をつけたの?」

「トクホンをね」

「小麦粉がある?」

「あるわ」

「カラシは?」

「あるわよ」

「酢も?」

「早苗さん、おなかがすいているの?」

「ええ」

　わたしはかすかに笑って、彼女のさし示した場所から、小麦粉と酢とカラシを出した。

カラシを、小麦粉にまぜ、酢で練った。

「すっぱい匂い」

彼女はちょっと眉根をよせる。わたしは自分のガーゼハンカチを出し、それに練った小麦粉をぬり、

「さ、足を出して」

と彼女の足もとにひざまずく。

（ああ、やっぱりひざまずいた）

と思う。彼女はソックスをぬぎ、痛んだほうの足を出した。白いなめらかな足だ。美術品のように、形のよい甲の高い足だ。土ふまずがくっきりと弧を描いている。わたしはそこにガーゼのハンカチを当てた。

「ホウタイがある？」

「あるわ。そこの引出しに」

小さな鏡台の引出しから、わたしはホウタイを持ってきて、彼女の足をそっと抱え、ホウタイを巻いた。その時、なぜかわたしはひどく幸せな感じがした。わたしは少しうろたえた。わたしの中に、幸せを感ずる部分が、まだあろうとは思わなかったからだ。

「やさしいのね、やっぱりあなたは」

「やさしくなんかないわ」

酢の匂いが、わたしの鼻をつく。ホウタイを巻き終わり、その上からわたしはそっと手でおさえた。桜色の爪が彼女に不似合なほど愛らしかった。そうだ、彼女には愛らしいという言葉は、なぜか不似合なのだ。魅惑的ではあっても愛らしくはない。愛らしいというには、余りにも彼女は神秘的な妖しいひとなのだ。

「いい気持ちよ。ひんやりとして」

「すぐなおると思うわ」

「ありがとう」

二人の心が一つになったような気がした。

「どうして、わたしに会いたくないといったの、早苗さん」

「誰にも会いたくないのよ」

「学校にも行っていないんだって?」

「誰から聞いたの」

沢先生だろうか。わたしは嫉妬を感じた。

「わたしには何でもわかるのよ」

彼女は胸をそらせて、天井を見た。長い髪がゆらりと動くほどに、きっぱりと上を見た。

「どうして学校に行かないのよ」

「答えなくちゃいけないの」

「そんな言葉をいうひとではなかったわ、あなたは」

まじまじと彼女はわたしをみつめた。

「人間は変わるわ」

「そうね、変わるわね。大きなショックがあれば」

「…………」

「そのショックが何だったの？」

「お答えするほど、わたしたちそんなに親しくはないわ」

「うそよ、あなたが一番親しいのは、多分わたしよ。あなたはきっと、あなたのお母さんよりも、わたしのほうが好きなはずよ」

「まあ！……」

その言葉は、なぜか傲慢にも聞こえず、押しつけがましくもなかった。ひどく自然で、ひどく素直だった。そして確かに、わたしは奈津子さんに強い親しみを感じていたのだ。わたしも素直にならなければならないような気がした。

「わたしね、あれは秋のことだったわね。この家に初めて訪ねてきたのは」

「そうよ。それで?」

「あの夜、あなた、わたしのうちの近くまでいらっしゃらなかった?」

「あの夜?」

　押し返すように、彼女はわたしをじっと見返した。と、ふっと例の眠ったような半眼になって視線をそらした。

「そうよ、あの日の夜よ。リンゴ園のそばを、男の人と歩いていたわ」

「…………」

「わたしはあの男の人を、沢先生だと思ったの」

「それで?」

「ね、あの時の人、沢先生だったの」

「ちがうわ」

　きっぱりと彼女はいった。

「じゃ、どなた?」

「……謙三さんでないことは確かよ。どうして?」

「沢先生もそうおっしゃってたわ」

「ああ、なるほど、それであなたは、あの人とわたしがあなたを裏切ったと思ったのね」

「そう。……やっぱりあの時のあの男の人は、沢先生ではなかったのね。馬鹿だわ、わたし」

　二人に裏切られたと思ったからこそ、わたしはあんな馬鹿げたことをしたのだ。

「どうしたのよ?」

「わたしね、死のうかと思ったの」

　わたしは見知らぬ男の車で、定山渓《じょうざんけい》のほうまで行ったこと、首をしめられそうになったこと、そして裸にオーバーだけの姿で外を歩きまわったこと、それを沢先生に見咎められて軽蔑されたことなどを、ひどく熱心に話した。ああ、わたしのどこに、あんな熱心さがひそんでいたのだろう。うなずきながらわたしの話を聞いていた彼女は、聞き終わって、

「かわいそうに」

　ひとことぽつりとそういうと、わたしの肩をそっと抱きよせてくれた。まるで、こわれものでも扱うような、デリケートな心遣いで。わたしは抱きよせられたまま、彼女の肩に頭を乗せていた。

三

「かわいそうに」

　しばらくして、彼女はまたそういった。

「かわいそうというより、馬鹿よわたしは」

「愛するということは、馬鹿な部分がなくちゃ、できないことなのよ」

「馬鹿な部分がなくちゃ？」

「そうよ」

　彼女はそっと、わたしの頬に自分の頬をよせた。しっとりとした頬が、意外に冷たかった。

その時電話が鳴った。彼女はものうげに傍の受話器を取った。

「もしもし桐井です」

　相手が何かいった。

「あら」

　彼女はわたしを見、

「まあ、ずいぶんお久しぶりね。何を思い出して今頃お電話をくださったの」

懐かしさと冷たさの入りまじった声だった。

「そう……ええ……ええ、そう、まあ、つまりあなたの捧げる野菊は、枯れやすいってことね」

沢先生からの電話とわかった。

「どうして？……ええ」

彼女はうなずきながら聞いていたが、やがていった。

「失礼よ、謙三さん。あの子はそんな子じゃないわ。第一、そんなふうな感じ方でしか見られないとしたら、あなたは女性というものがわからないのよ。すごく純粋な子ほど、突飛なことをするものなのよ。それがどうしてあなたにはわからないの」

彼女の声は鋭かった。怒りを帯びていた。わたしは、二人の間で自分のことがいわれているのを聞きながら、身の置き所のないような気がした。

「……でしょう。ほら、あなただって、人を信ずるということができないじゃないの。わたしが、あなたを信じられないということには、根拠があってよ。だって、あなたのまわりにはいつも女性がいるわ。……ええ、ええ、それはもう、あなただけの責任とはいわないわ。あなたっていう人には、じっとしていても、女性がむらがってくるんですもの。でも、あんな純真な子を信じられないっていうのは……いいえ、そうは思わないわ。信ずるということは、こういうことだと思うの。たとえあの子がオーバーの下に何も着ていなくても、それが彼女の純潔を疑うということには、ならないということなの。信ずるということは、そういうことなのよ。……だめ、だめ、わたしはもう会わないわ……会ったら、わたしもだめになる」

受話器を耳に当てたまま、彼女はじっとしていた。しばらくして、

「わかったわ。それはわかってるわ。でも……。叔父さま、さようなら。……仕方がないわ。さようなら」

受話器を置いたまま、彼女はしばらく身動きもしなかった。わたしは打ちのめされたような気がした。二人の間には、わたしの沢先生との間には決してない何かがあった。その何かを、どう表現してよいか、わたしにはわからない。濃密な何かだ。いや、太い絆《きずな》というべきか。断《た》っても断っても断ち切れぬ水の流れのような、そんなもの、あるいは炎といってもいい。わたしはそのようなものを感じた時、沢先生がわたしの前に現われたのは、いわば気まぐれのようなことだったのだと、思わずにはいられなかった。彼らの舞台においては、わたしは「その他大勢」の一人に過ぎない。あくまで沢謙三、桐井奈津子がその主役なのだ。「その他大勢」の一人に過ぎないわたしが、主役のように嘆き悲しむなんて、これはもうこっけいというよりほか、いいようがない。

しかし、「その他大勢」には、「その他大勢」なりの人生がある。

〈誰もが、各々の人生の主人公なのだ〉

という言葉もある。としても、わたしは道化役だ。奈津子さんがいった。

「あの人はね、あなたによって、新たな人生を歩むつもりだったんですって。でも、もう女性が信じられなくなったんですって。あの人馬鹿よ。信ずることのできるものは信じられないで、信ずることのできないものを信じたがるなんて」

わたしは惨めだった。つまりは彼は、奈津子さんのところに帰ってきたがっているのだ。奈津子さんに疲れたといいながら、彼はやはり、奈津子さんから離れられないのだ。あの詩人のすべてを受けとめることのできるのは、この世で、奈津子さんしかいないような気がする。わたしと沢先生が並んでいるよりは、奈津子さんと並んでいるほうが、どう考えてもぴったりなのだ。わたしはいい気になって、あの先生の言葉を信じた。自分が愛されていると思った。何というこっけいな！　沢先生はただ、ちょっとわたしの前に立ちどまったに過ぎないのだ。

「あの方は、やっぱり奈津子さんのそばにいるべきなのよ」

わたしはそういった時、自分の声がひどく乾いているのに驚いた。ふしぎに嫉妬はなかった。

「早苗さん、あなたはわたしを知らないのよ。そして多分彼のことも」

そういわれると、わたしはまったく二人のことを何も知らないような気がした。わたしはただ二人のシルエットを、くもりガラスの向こうに見ていただけかも知れないのだ。

「そうかも知れないわ」

「あの人とわたしはね、会えば疲れるだけなの。それがよくわかっているの」

「……でも、愛し合っているのね」

「お互いに疲れることが愛し合うということならね。でも、愛というのは、相手を疲れさせることじゃないのよ。窒息させることじゃないのよ。愛するということは、生き生きした命を与えることなのよ」

　わたしは黙ってうなずいた。が、本当にそうだろうかと思う気持ちもあった。

「そうね、愛というのは、相手を生かすことだって、倫理の先生もおっしゃったことがあるわ。でも、あなたがたのは愛ではなくて恋なのよ。愛と恋とはちがうでしょう。恋はやっぱり、あなたがたのように、お互いを奪いあい、傷つけあい、窒息させ合うことかも知れないわ」

「愛と恋とはちがう?」

　彼女は低く呟き、妖しい光を帯びた目でわたしを見た。

(このひとを見て、恋をしない男性がいるだろうか)

　わたしはそう思った。彼女の、どこか謎に包まれた神秘的なふんいき、微妙に変わる表情、妖しいまなざし、人のハートをくるむような、まろやかな声、立ってもすわっても、ただそこにいるだけで絵のような姿態、一体彼女は何者なのだろう。同性のわたしさえ、その魅惑のとりこになってしまいそうだ。

「そうよ、愛と恋とはちがうわ。炎は相手を焦がしてしまうわ。あなたがたは激しい恋をしているのよ」

「激しい恋……」

　彼女は否定も肯定もしなかった。ふっとわたしは、リンゴ園の傍を歩いていた時の彼女を思い出した。このひとは、一体誰と歩いていたのだろう。沢先生がにわかに遠い彼方に過ぎ去ったような気がした。

「ねえ、奈津子さん、あの夜、わたしが見たのは、あなたと沢先生じゃないといったわね」

「ああ、去年の晩秋のこと？」

　彼女は、雪のちらついてきた外に目をやった。羽毛のような軽やかな雪が舞い降りている。

「そう、あの時の男性はどなたなの」

「それは……あなたの知らない人よ」

「わたしの知らない人？　でも、あのリンゴ園の近くの人なのね」

「………」

彼女の顔に、かすかにさざ波のような困惑が走った。瞬間、わたしはハッと気がついた。

「ね、奈津子さん！　もしかしたらその人はわたしの父じゃない？」

いつか、確かママがいったことがある。パパと奈津子さんが、グランドホテルの食堂で、食事をしているのを見たことがあると。

「あなたのお父さん？」

いって彼女は、膝に目を落とした。

「ね、そうでしょ。そうなのね、きっと」

何か考えていた彼女は、小さくうなずいた。

「あなたとパパは、お友だちなの？」

「お友だち？」

彼女は二、三度まばたきをした。

あの夜見た二人の姿は、友だちというより、恋人のような親しさだったと思った。さっき喫茶店で見た若い女の子と、五十近い男性の姿をわたしは思い浮かべた。

「お友だちじゃないの？」

わたしは再び尋ねた。

「お友だち……といってもいいわ」

「あの、まさか……」

　恋人ではないでしょうね、という言葉をわたしはのみこんだ。ウイスキーをあけながら泣いているママの顔が目に浮かんだ。

（そうか、そうだったのか）

　交通事故でわたしが入院した時、奈津子さんが見舞いにきた。その時のママは、困惑したようにじっと彼女を見、いつものにこやかさは失われていた。

（そう、そうだったのか）

　再びわたしは胸の中でつぶやいた。そういえば思いあたることがまだいくつもある。わたしが奈津子さんの家に行くといった時、もうずっと前のことだったけれど、ママは、

「あの奈津子さんて、何だか無気味よ」

と、おびえた顔をしたことがある。それにパパだって、わたしと奈津子さんがあまり親しくないほうがいいなんて、いっていた。

　わたしはじっと彼女の顔を見た。このひとは、ママがどんな思いで毎日を暮らしているか、知っているのだろうか。沢先生を疲れさせたのは、実はパパのことだったのではないだろうか。ママが、沢先生に会いに行ったのは、この奈津子さんとパパのことを確かめたくて行ったのではないだろうか。

「どうしたの、早苗さん」

　黙りこんだわたしを見て、奈津子さんはやさしくいった。再びわたしの目に、リンゴ園の横を恋人のように寄り添って歩いていたパパと彼女の姿が浮かんだ。

（一体このひとは、どんな人なのだろう）

　わたしが入院した時訪ねてきて、わたしの顔に接吻した彼女が思い出される。あの時は、ちっとも不快にも不潔にも感じなかった。いいがたい親しみと喜びがあるだけだった。だが、もし奈津子さんとパパが恋人の関係にあるなら……思っただけでも、あの接吻は不愉快なことになる。

「どうしたのよ、黙りこんで」

　彼女の手が、わたしの肩にそっとかかった。わたしはその手をふり払うように立ち上がった。

「何を怒ってるの」

「もう、パパと会わないでください」

　彼女はふっと笑った。

「そうはいかないわ」

「ママが苦しんでいるのを、あなたはご存じないのでしょう」

「知っていてよ」

「知っていて、何とも思わないんですか」

「思わないわ」

　彼女はひどく淋しい顔をして、わたしを見つめた。

「まあ！　何も思わないですって？」

「そうね、思わないといったら嘘になるわ。でも、仕方のないことだと思うの。そうよ、人間の社会には、仕方のないことってあるのよ。どうにもしようのないってことがね。あなたのパパだって、苦しんでいらっしゃるのよ。苦しんでいるのは、何もあなたのママだけじゃないわ。あなたのママはすばらしい人と結婚したんですもの。それだけでも幸せだとわたしは思うわ」

「まあ！」

　わたしは後ずさりをしながら、彼女をじっと見つめた。いいがたくわたしを捉えていたこの女性が、こんなに冷たい人間だったとは。

「おすわりなさい。ゆっくりお話しましょう」

　彼女の言葉に、わたしは激しく首をふり、雪の降る外に飛び出したのだった。

第九章　断ち切れぬ水

第十章　指定席

第十章　指定席

一

自分の胸に沸々《ふつふつ》と浮かぶ思いを、たとえ十分間でも、次から次へとノートにしるしたなら、いったいどういうことになるだろう。ベッドにひっくり返って、わたしはそんなことを考える。

みんな寝静まっている家の中……。人間が眠っているって何だろう。一日働けば、一夜眠らなければならないということ、何と人間はひ弱な存在だろう。笑いたくなる。眠りは仮死に似ている。何も見えず、何も聞こえない。現実はまったく切り離されたところに心はある。もう十年前に死んだ人と夢の中で話したり、見たこともない風景の中を歩く夢を見たり、そっと人が顔を近づけて寝顔をのぞきこんでも、ただ眠っているだけだ。

もしかしたら、死ぬということは、それほど苦痛なものではないかも知れない。死の恐怖は、ただ生きている者の胸にだけあるのかも知れない。生きている人間は、なぜ死が怖いのだろう。それは、死ぬ瞬間が苦しいと思ったり、この世に自分という人間が存在しなくなる事実におびえたり、死後、自分はどこへ行くのかと、不安に思ったりするからにちがいない。しかし、この自分が、この世のどこにも存在しないなんて、想像しただけでも、わたしは小気味いいような気がする。どんなにわたしを憎む人がいても、わたしはもう傷つかない。そう思うだけで、わたしは空高く自分が翔《か》けまわっている喜びを感ずる。そして、何よりもありがたいことに、死んだわたしは、もう誰とも口をきく必要がない。誰をも傷つける心配がない。こんなにすてきなことが、死というものなのだ。

それに、わたしが死ぬということは、わたしにとって、わたしの胸の中にあるすべての人が死ぬことだ。わたしが今まで愛した人たちは、わたしの死と共に、すべてほろびてしまう。人ばかりではない。わたしの意識の中にあるこの世界もまた。わたしの意識が捉えているパリもローマもベトナムもエジプトもわたしの死と共に、わたしの意識から消え去ってしまう。わたしにとって、わたしが死ぬことは、世界が滅びることとなのだ。

なかなか眠れない。枕もとの置時計は、今一時半を過ぎている。わたしはベッドに腹ばいになりノートをひらいた。自分の心の中に浮かび上がるものを、このノートにすくいあげてみようというわけだ。

〈午前一時半、夜の街、街燈、奈津子、父、母の涙、ベンツ、あの人、白樺の坂……〉

たった二十秒の間に、わたしの胸に浮かんだのは、以上のことだった。何のことはない、わたしがいつも思っていることではないか。

白樺の坂！　こう書いたからとて、これにこもるわたしの想いを、誰が想像できるだろう。あの日、わたしは、奈津子さんの呼びとめるのも聞かずに、彼女のアパートを飛び出した。雪が、羽毛のような雪がわたしを包んだ。わたしは白樺の並木が両側に並ぶ坂を駆け出した。

（いや！　いや！）

わたしは、父と彼女のことを思うと、ただそう叫ぶより仕方がなかったのだ。そのわたしが、突如坂の途中で立ちどまった。坂の下からゆっくりと登ってくる彼を見たからだ。彼はうつむいたまま、坂を登ってくる。彼女を訪ねるのだ。彼女のもとに戻るのだ。わたしはまたしても、彼女と父の、あのリンゴ園のそばの姿が目に浮かんだ。

坂の途中に立ちすくんでいるわたしに、彼は二、三歩前まできて、やっと気づいた。それほど彼は思いにふけっていたのだ。何気なく目を上げたその表情は、ひどく寂しげだった。が、次の瞬間、彼の表情はこわばった。彼も立ちどまった。わたしは必死に彼を見つめた。彼は鋭い視線をわたしに注いだ。雪の中に、二人はいったい、どのくらい見つめ合っていたことだろう。ひどく長くも、また短くも思われた。

「先生！」

たまらなくなって、わたしは呼んだ。そのとたん、彼の視線はすっとわたしから外れた。彼は黙ってわたしの横を通り過ぎた。彼にとって、わたしは、

「君はそんな女だったのか」

　という女に過ぎなかったのだ。

　惨めだった。会わなければよかった。わたしは立ち上がれないほどに自分が傷つけられたのを感じた。

〈白樺の坂〉それはわたしに、完全なる挫折を意味する言葉となった。

　不愉快なことを思い出してしまった。わたしは、再びペンを取り上げた。楽しいことを思い浮かべようとした。

〈笑い。六華堂《りっかどう》の女主人。目尻の涙。詩。沢謙三〉

　駄目だ。双六《すごろく》はまたふりだしに戻る。

〈友人、ヨリ子、サチ子、学校、机、講義、プロフェッサー、単位、鉛筆、試験、落第、滝、水の音、ブレーキの音、絞殺、定山渓、教会、涙、別れ、あの人〉

　やっぱり、わたしの振るサイコロは、ふりだしに戻りたがる。わたしのすべての志向は、つまりは彼に注がれているということだ。

　眠れない。もう一週間というもの、わたしの神経はこわれた時計のようだ。思考がちょっと進んだかと思うと止まり、進んだかと思うと止まり、ふっと気がつくと、いつの間にやら逆に戻っている。いっそのこと、この世のすべてがこわれてしまえばいい。ああ、神よ、ねがわくは巨大なるビニールの布をもって、この地球を一部の隙もなく包み給え。さらばこの地の生あるものはすべて滅び行かん。その腐れたる地球を、神はひょいとつまんで、星の墓場に葬り給わんことを。

旅に出ようと思う。

二

ノートをひらくのを忘れている間に春休みがきた。兄は九州に桜を見に行きたいという。

「わたしも金沢あたりに行きたいわ」

と、はしゃいで見せる。

「ほんと、早苗ちゃん」

ママがうれしそうにニッコリする。パパは不安そうにわたしを見つめていたが、

「大学には、春から出るんだね」

という。

「そのつもりよ」

わたしは快活に答えた。そうだ、人生なんか、未来についての決定的な答えはできないものなのだ。「そのつもりよ」で嘘はない。そのつもりであっても、途中で気が変わることがある。

死んでしまうことだってある。

心から尊敬していたパパも、尊敬ができなくなった。ほんの短い間だけれど、わたしが

生まれてはじめて激しく恋した人にも、捨てられてしまった。ただ、ママがかわいそうなだけだ。でもわたしは、もう生きることに興味がなくなったのだ。たとえ、今、もう一度勇気をふるって生きはじめたところで、わたしの未来に待っているものは、結局は似たようなことではないか。誰かを愛し、その愛がまた色あせ、お互いを傷つけ合う。何よりも悪いことに、わたしのパパへの愛は、多分もう甦らない。ママが酒呑みになったように、わたしも酒呑みになったところで、何もはじまらないのだ。今のわたしは、死にたいと思っている。生きることにくたびれたといったら、何十年も生きている人に笑われるだろうか。でも、短距離選手とマラソン選手があるように、人生にだって、一度に激しく燃焼して、燃えつきてしまう人間だってあるのだ。

とにかく旅に出て、わたしはわたしを見つめたい。わたしという人間を、誰も知らない旅の中で、わたしは自分がなお生きつづけるべきか、死ぬべきかを決めたいと思う。

多分わたしは死ぬだろう。再びこの家に戻らないだろう。そんな予感がしきりにする。ママと話をしていても、来年の今頃は、ママはきっと、

「早苗ちゃんは去年の今頃……」

と、わたしを思い出して泣くのではないか。そう思ってしまうのだ。ママだけは無性に愛《いと》しい。わたしが死んだあと、ママはどんなふうに生きていくだろうと思うと、わたしは

思わず立ちどまる。もしママがいなければ、わたしは旅になど出かけずに、さっさと死んでしまっていたかも知れない。

　ママを泣かせたパパは嫌いだ。そう思って、この間まで口をきかなかった。ふしぎなものだ。もしかして、二度とこの家に戻らないかと思うと、パパへの憎しみも少し弱まるような気がする。この間までは、パパが帰ってきても「お帰りなさい」ともいわなかったわたしが、

「パパ、お帰り。疲れたでしょう」

　などと出迎えている。自分は死ぬかも知れない。そう思っただけで、こんなにも心が和《なご》むのだろうか。わたしの潔癖は、依然としてパパと彼女を許してはいない。が、永遠の別れが近づいていると思うと、できるかぎりやさしくしてあげたいような気もする。
　二、三日前の夜、ママがおふろに入っていた。お湯を使う音さえ、何か春めいた夜だった。いつものように、自分の部屋にひとりぼんやりと、わたしはすわっていた。ほとんど道の雪は消えて、街燈に照らし出されたペーブメントがしっとりとぬれていた。ノックがして、
「入ってもいいかい」

　というパパの声がした。一瞬わたしは、ハッと体の固くなる思いで答えた。

「なあに？　なんの用事？」

わたしはドアを細目にあけ、まるではじめての訪問者を見るように、おずおずとパパを見た。パパは気弱く笑って、

「うん、ちょっと話したいことがあるんだ」

わたしはとっさに、

「パパ、悪いけど、今、わたし頭が痛いの」

と答えた。パパはわたしの顔を見、

「頭が痛い？　それは大変だ。薬はのまなくてもいいの」

と心配そうにわたしを見た。

「薬はのんだわ」

わたしは嘘をいい、ドアをしめた。しめたとたん、わたしの胸は痛んだ。ドアを閉じられたパパは、どんな顔をしていることだろう。

痛みやすいパパは、頭に一撃でもくらったような思いにちがいない。パパの感受性は、ヤングのわたしよりずっと鋭敏で豊かなのだ。パパ好みの言葉で言えば〈孤独の谷底〉に降りて行くような思いで、パパは階段を降りて行くにちがいない。

わたしはその時そう思った。そして疑問に思ったこと、それは、あんなにもやさしいパパが、そよ風にさえ心のゆらぐパパが、なぜママを泣かせて平気なのか、ということだっ

た。バタンとドアを閉じた音、それにこもるわたしの拒絶を、パパはどんなに重く受けとっているだろう。そう思いながらも、わたしはパパを許すことができないのだ。わたしの潔癖さは、パパやママに清潔を要求する。何かの本で、その息子が自分の母に向かって、

「立派でなくてもいい、清潔な人であってほしかった」

と歎いた言葉を覚えている。わたしだってそう思う。いや、わたしでなくても、息子や娘たちはみな、自分の親たちは皆、平凡であってもいい、しかし清潔であってほしいと切実に願っているのだ。

三

わたしは旅に出る仕度をはじめた。

兄は九州へ行くというが、わたしはオホーツクの澄んだ海を見に行きたいと思う。十日ほどの予定で。

オホーツクといっても、稚内《わっかない》から根室《ねむろ》まである。わたしは地図をひろげる。今のわたしに一番ふさわしいオホーツクへのコースを探して見た。宗谷《そうや》本線に乗って、稚内近くの豊富《とよとみ》で降り、サロベツ原野にさまよい、稚内に行くのも心惹かれるコースだ。釧路《くしろ》本線を通って釧路の街に降り、根室線に乗り替え、根釧《こんせん》原野を行くのも悪くはない。石北《せきほく》線を行き、全市が公園のようだという網走《あばしり》の街を見、海と湖を眺めながら斜里《しゃり》に行き、知床《しれとこ》半島まで足をのばすのも一法だ。

そんなことを思いながら地図を見ていると根室半島と知床半島の中間に、

「恨めしや！」

の幽霊の手の形をした野付《のつけ》半島という小さな半島を見た。余り聞いたことのないこの小さな半島が、なぜかわたしの心をそそった。オホーツクの海に突き出た、このか細い半島は、余りにも幅が狭くて、きっと天《あま》の橋立《はしだて》のように、風光明媚な所にちがいないとわたしは思った。すぐ目と鼻の先に、千島《ちしま》列島の一つ、国後《くなしり》の島が大きく横たわっているのもわたしの心を惹いた。

が、じっと地図を見ていたわたしの心を更に強く惹《ひ》いたものがあった。それは尾岱沼《おだいとう》という地名だった。野付半島のちょうど対岸にしかも国道二四四号線沿いに、その尾岱沼がある。ここには確か、奈津子さんの生みの母がいると聞いていた。わたしは彼女の家で見たその母なる人の写真を思い浮かべた。あの写真を見た時、わたしは思わずハッと息をのんだものだ。

(もし、光が人間になったなら……)

そう思ったほどに明るい笑顔の美しい人だった。その時、

「母なのよ」

といった誇らしげな彼女の目が浮かぶ。確かにその時、彼女は尾岱沼にその母なる人がいるといった。そして尾岱沼は、シマエビのとれる、海の入江のきれいな所だといった。

なぜ、彼女の母がわたしの心を惹くのだろう。いや、あの写真の主が、たとえ彼女の母でなくても、わたしは心惹かれたにちがいない。人はあんな光のような笑顔になれるものではない。

わたしは行く先を決めた。彼女の母に会うか会わないかはともかく、野付半島に行ってみようと、心に決めた。

旅！　旅というものは、なぜか死を予感させるものだ。予定は僅か十日間だというのにわたしは旅の準備をしながら、自分が死の準備をしているような錯覚を覚えた。それはあながち、こんどのわたしの旅が、

「自分は何のために生きているのか」

を探る、重い旅であるというためばかりではない。昔は、旅に出る時、水杯をして別れたというではないか。旅にはそうした死を予感させる何かがある。つまりそれは、日常性とのしばしの別れであるからだ。朝起きて学校に行く。また帰ってきて、家族と顔を合わせて食事をとる。そして自分の床に眠り、その床の中で目をさます。

そうした見なれたもの、使いなれたもの、そして、馴れのくり返しの日常性から離れるということは、少し感受性の強い者にとっては、これは確かに、不安や危険を予想させるものなのだ。そんな不安や危機感の中に身を置いて、はじめてわたしたちは、自分の生き方を新たに問いなおす契機にめぐり会えるのかも知れない。

わたしは、押入れの物を全部出し、洗濯するものは洗濯し、アイロンをかけるものはアイロンをかけ直した。もしわたしが死んでも、誰かの手を煩わすことがないように、わた

しはハンカチの一枚一枚にも、心を配ってしまいなおした。机の引出しも、物を取り出してその中を拭き、もう使わないかも知れない鉛筆の、一本一本を丁寧に削った。本棚の本たちにも別れを告げるように、その一冊一冊をひらいてみた。もしかして、わたしが再びこの部屋に戻らなくなったとしたら、この本たちは、二度とわたしの手にふれてもらうことはないのだ。本屋の明るい燈の下で、心をときめかせながら選んだわたしの本たち。わたしはその見ひらきに、

「お兄ちゃんへ」

「ママへ」

「サチ子へ」

「ヨリ子へ」

などと、書いてゆく。「夏目漱石全集」は、本当は誰よりもパパにあげるのにふさわしいのだけれど、どの本にも「パパへ」と書くことはためらわれた。

「キリストに倣《なら》いて」という角川の文庫本が、漱石全集の中に、ちょこんと一冊だけ挟まっていた。由木康《ゆうきこう》という訳者の名だけが載っている。原作者は、誰なのだろう。わたしが買った覚えはない。真新しい本だ。誰がいったい、ここにこの本を置いたのだろう。パパかも知れない。いや、あるいは兄貴かも。が、決してママではない。ママは本を読むより、テ

レビを見るか、ぼんやりしているか、家の中の仕事に精を出すかより、知らない人だ。本の虫のようなパパと、本に何の興味もないママが結婚した。わたしは不意に、ギョッとした。それだけで、二人の間に深い亀裂があったとしても、仕方がないような気がした。ところが、奈津子ときたら、ハンドバッグの中にも本をひそませ、街に出ることは本屋に行くことを意味するような、そんな女性だ。彼女の本棚には、余り人の読まない「クローニン全集」だってある。パパとあの人が結びついたのは、そうか、本という一見無表情に見えて、その人間の全生活を百八十度転換させる、強力な、デーモニッシュな力のあるものが仲立になったのだ。

（それにしても、誰がこの本を、ここに置いたのだろう）

不審に思いながらも、わたしはパラパラとページをひらいた。

〈多くのことを知れば知るほど、その生活を清くしないかぎり、いっそうきびしい審きを受けるであろう〉

〈何か自分の益になることを学ぼうと思うならば、人に知られぬ、つまらぬ人だと思われることを願うがよい〉

〈世には自分よりはるかに多くのことを知っている人があるのに、なぜ自分を他人以上に見積ろうとするのだ？〉

〈この弱い肉体をもって生きている間、吾々は罪を犯さずにいることも、悲しみや傷《いた》みを味わわずに生きることもできない〉

　わたしはページを閉じた。この見なれぬ本一冊を持って、旅に出ようと思った。誰がわたしにこの本を贈ったかは知らない。たとえパパからであろうと、かまいはしない。この本がわたしに何かを答えてくれるように、わたしには思われた。

　旅に出るつもりだったが、部屋の中をきれいに整頓したとたんに、わたしは何と高熱に倒れてしまった。わたしが倒れて、はじめてママはわたしの部屋が整然と整頓されているのを知って、おびえた顔をした。

「早苗ちゃん。あなたまさか……」

　ママはそういって、熱のさめた時わたしに、おろおろと問いただそうとした。

「大丈夫よ、ママ。わたしは生きたがりやなんだから。ただちょっと思い立って部屋を整理しただけよ」

　わたしは男のように、

「ハハハハハ」

　と明晰に笑った。ハという字が歯と歯の間から幾つもこぼれていくような、その笑い方がどうやらママを安心させたようだった。

ああ、かわいそうなママ。ママはほっとして、

「早苗ちゃんて、こんなにはらはらさせる子だとは思わなかったわ」

と涙ぐんだ。この頃はわたしは、パパにだって機嫌がいい。高熱の中で、ちょっと考えを変えたのだ。

（もしかして、もうじきわたしは死ぬかも知れないじゃないか。もう少しの辛抱だ）

わたしの本当の気持ちは、誰にも知られなくてもいいと思う。パパを許せないという気持ちだって、彼に捨てられた惨めな気持ちだって、人に知られて何になるだろう。わたしはその思いを何重にも包みこんでこっそりと死んでしまいたいのだ。

ほら、かくれんぼって、おもしろいじゃない？　子供のかくれんぼは、自分の体をかくす遊びだけれど、大人のかくれんぼは、自分の心をかくすのだ。

「もういいか、もういいよ」

小さな足音がして、

「どこかな、ここかな」

というかわいい声がして、やがて、

「みいつけた」

と、幼い鬼は喜びの声を上げる。が、わたしのかくした心を、見つけることのできる鬼

はどこにもない。たとえわたしの体を燃やしたって、だあれも、どこにも見つけることはできない。

素直な、そしてやさしい娘にならなければならない。

「ざまあみろ」

って気持ち。誰にもわたしの心を知られないために、わたしはできるだけ、明るくって

で、もしか生きることがいやになった時、生きる目的がどうしても見つからない時、今の予定では、わたしは自殺するつもりだ。しかし、決して自殺だとわからない死に方で。ついさっきまで笑っていたのに、ついさっきまでチョコレートを食べ、ケーキを食べ、アイスクリームを食べていたのに、という死に方。それは凍え死、または誤って水に落ちたような、突如とした、しかし他愛のない死に方。そんな死を、わたしは演出しなければならない。

ああ死んだって、わたしの思いを人に知られたりするもんか。わけても、あの人に失恋したなんて、それがわたしの生きる力を奪ったなんて、そしてまた、パパが信じられなくなったなんて、パパを軽蔑しているなんて、それでこの世が嫌になってしまっただなんて、どうして人に知られてよいものか。

というわけで、わたしは希望に燃えた顔で今日も大学に行ってきた。しかし何とあの国

文の伊勢教授は単調な講義をするのだろう。まるで死人がしゃべっているような抑揚のない声、皮膚が突っぱったように動きのない表情。

（あれはきっと、二十年前のノートを見てしゃべっているのよ）

誰だってそう思っちゃう。あんなに情熱のない骸《むくろ》のような人間になって、なおも人を教えているなんて、何という恥ずかしいことだろう。あんな姿をさらすよりは、教え子に破廉恥なふるまいをするほうが、まだ生きているといえる。

大学の食堂で、この間も話し合った。

「何のために大学へ行っているのだろう」

いい出したのはサチ子だ。ヨリ子は、

「そりゃ勉強しによ」

と、そのクリッとした目をサチ子に向けたとたん、ほかの声が飛んだ。

「ほんとかい、ヨリ子」

ヨリ子は肩をすくませ、そばにあったお皿でちょっと顔をかくし、

「ほんとうかいといわれると、弱ります」

「そこに大学があるから、行ってますってなところね」

「そこに山があるから、登るのと同じか。ちがうと思うよ。大学卒業の証書が欲しいのよ」

「さもしいよね、そんなことだと」

「そんなことよ。どうせ人間のすべての行動はさもしいのよ。大学は自主的に学ぶ所だなんておだてられて、あれは嘘よね」

「嘘だ、嘘だ。自主的にさぼるところよ。ねえ、もし、単位を取らなくても落第しないということになったら、どれだけ勉強するかしら」

「単位を取るためでもなく、期末試験のためにでもなく勉強するなんて、そんな人いるかしら」

　ワイワイガヤガヤ話し合っているうちに、寂しくなった。二度とくり返すことのできない人生だなんて、口ではいっていても、自分が何のために大学へ通っているかさえ、本当はわからない。

「大学ぐらい出てなくちゃ、世間体が悪いから、ということよね」

　誰かがそういった。みんなが何となく黙りこんだ。

　伊勢先生の講義を思い、わが親愛なる仲間の偽らざる話し合いを思うと、やっぱり大学なんかやめてしまおうかと思う。大学に行っていることが、なんだか偽善のように思われてくる。そういったら、ある友だち曰《いわ》く、

「早苗、あんたノイローゼよ」

そうかも知れないと思う。空には春の白い雲がぽっかり浮かんでいるというのに、木の芽がふくらんできているというのに、わたしの心は一つも弾まない。年は二十、申し分のない若さなのだ。しかしわたしは、九十歳の老人よりも、もっとよぼよぼしている。やっぱり旅に出ようと思う。このままでは、三木早苗が風化する。そんな青春なんていやだ。生きるのなら、ひたすら一つの理想に向かってまっしぐらに生きる。生きる目標がないのなら、パッと鮮やかに散っていく。それが青春だと思う。ああ、何だか、大声で、

「ミナサーン、オシエテクダサーイ、ワタシハナンノタメニイキテイルノデスカ」

と叫びたくなる。

四

「野付半島に行ってくるわ」

家を出る前の夜、わたしはいった。ずいぶんと無邪気な声で、朗らかそうにいったものだから、ママは呑気な顔をして、

「野付半島ってどこ?」

と、甘栗の皮をむく手をとめた。

「うん、根室と知床の間あたりよ」

「根室に近いの」

ママのやさしい眉がくもった。ママったら多分、根室というのはソ連ほどに遠いと思ってるのではないだろうか。案の定、

「根室は、パパ、ソ連領の千島がすぐそこに見える所でしょう」

ママはパパに甘えるようにいった。パパはじっとわたしの顔を見ながら、

「うん」

と返事をしたが、それは、ママがたとえ、

「根室って、スペインのすぐそばでしょう」

といったとしても、同じようにうなずいたにちがいない答え方だ。パパは、

「野付半島に行くのかい、早苗」

ひどく悲しみのこもった声に、わたしには思われた。

「そうよ、野付半島って、地図で見ると、海の中に細く突き出しているでしょう。パパ、行ったことがある?」

「沖のほうには、まだ流氷があるかも知れないよ。海風が冷たいから、今頃行く所じゃないよ、早苗」

パパは、行ったことがあるともないともいわずに、そう答えた。ママはもうさっきから甘栗を食べていたのに、そのことも忘れたように、ひどくぼんやりとした顔をしていた。両手を深く組んで何かを考えているパパと、ぼんやりとしているママを、わたしは等分に見た。

(ママはさっき、野付半島を知らないような顔をしていたけれど……)

どうやらママも、野付半島をよく知っているようだ。

知っていて知らない顔をしたのだ。

(なぜ?)

それは、多分知らない顔をしていたほうがいいと、ママが判断したからだ。そう判断させるものが、きっとあるからだ。それはいったい何だろう。多分それは、パパとママだけが知っていて、わたしには知らせたくない何かなのだ。ふっと尾岱沼の地名が頭に浮かぶ。

「寒ければつまらないわね。じゃ、わたし函館《はこだて》に行ってみようかな」

ママは、パッと生気を取り戻し……、ああ、何とママは無防備であることよ。かわいいママ……、パパもほっとしたように腕組みを解いた。

「ああ、今頃の函館なら、あったかくていいね」

「そうよ、そうよ。函館になさいよ、早苗ちゃん。函館はトラピストがあるし、函館山からの夜景がすばらしいし、それに、大沼《おおぬま》公園がそれはきれいよ。大沼なんていう地名だから、みんなはただの沼みたいに思っているけれどね。島がたくさんある、とってもきれいな広い湖よ」

ママはまるで、函館の観光課から宣伝でも頼まれたように、立待岬《たちまちみさき》がどうの、啄木《たくぼく》の墓がどうのといって、大わらわだった。

「そうね、じゃ、わたし、函館に決めた」

わたしは逆らわずにいい、心の奥深くに野付半島に行くことを固く決めた。

「いつ行くの」

「明日よ」

「明日？　でも切符を買っていないんでしょ」

「切符なんかいいの。ヤングの旅行は指定席なんかいらないの。指定席は、この人生だけで結構よ。わたしは生まれた時から、この家の娘という指定席に、ラクチンに育っているんだもの。少し冒険をしなくっちゃあ」

ママは上機嫌で、また甘栗の皮をむきはじめた。

ああ、わたしの言葉は、こんなにもたやすく信じてもらえるのかしら。そう思いながらわたしは鼻歌をうたって、うす暗い階段を上がって行った。

第十一章　木々の墓

第十一章　木々の墓

一

なぜ、人は幸福でなければならないのか、不幸であってはならないのか。「幸福という名の不幸」という小説があった。「不幸という名の幸福」もあるということになりはしないか。

そんなことを考えながら、わたしは旅に出た。そうだ、やはりわたしが家を出た時からを、順を追って書いてみようと思う。結論からいってもいいのだけれど、わたしは今、この自分の生涯忘れることのできない旅を、もう一度自分のペンで、はじめから確かめてみたいのだ。

「函館に行ってくるわ」

わたしはそういって朝早く家を出た。ジーパンにリュックサックのヤングスタイルで。

「宿についたら、電話をね」

ママは白い手をひらひらふりながら、門のそばに立っていった。わたしはうなずいて、
しかし、心の中では、

(宿なんか、教えやしないわ)

と思っていた。タバコ屋の角の所でふり返ると、ママがまだひらひらと手をふっていた。かわいそうなママ、手のふり方まで頼りなげだ。

（あの人がわたしを産んでくれた）

そう思ったとたん、わたしはふいに涙がこぼれた。女が子供を産むって、それは何だかとってもかわいそうなことに思えたのだ。しかもその子がこのわたしだなんて……。ひどく気の毒な気がしたのだ。

七時三十五分の汽車で函館に行くといったわたしは、八時五分札幌発網走行きの長い列車に乗った。五月晴れの明るい朝の空が、ひどくしんとした感じだった。晴れた空には動きがない。ただ、湖のように静まり返っているだけだ。あんまりしんとしていて、あの青空に大きな大きな船を描いてみたいような気がした。その船に、ざんばら髪のお化けや、あかんべえをした意地悪っ子や、それに、あのかわいい小便小僧を描いてみたいような気がした。

広い石狩《いしかり》平野の果てに、地平線がくっきりと見える。誰かが書いていたっけ。

「死ぬまでに、一度でいいから地平線を見たい」

っていった車椅子の少年のことを。おそらく、その子は町のまん中に育って、お日さまは屋根から出て屋根に沈む光景しか知らないのだろう。

列車の中は、ゴールデンウィークを過ぎていたが、けっこう混んでいた。

(何の用事があって、人々はこんなに旅をするのだろう)

セールスに行く人、公務で行く人、肉親が危篤で駆けつける人、お嫁に行く人、離婚して帰る人、家出をする人、いろいろいるだろうに。

でも、わたしのように、もしかしたら自殺をするかも知れないなんて、あやふやな人間はいないだろう。

長い長いトンネルを脱けたら、「雪国」ならぬ旭川《あさひかわ》の街があった。旭川駅の一番ホームに汽車がとまった時、わたしはぼんやりと街を眺めていた。駅前通りに人があふれていた。車の通らない道だ。

(ああ、あれが有名な、買物通り公園だわ)

と、わたしは納得した。この通りには、ベンチやら木立やら、彫刻やら噴水やら、そして木馬やらシーソーがあって、ヤングたちが、ギターをかき鳴らして歌うとかって聞いたっけ。

「人間が大事にされる町なのよ」

旭川からきている友だちが、大学の食堂で誇らかにいっていたっけ。ふっとわたしは、もしわたしが、札幌に住まずに旭川に住んでいたとしたら……と思った。多分わたしは、沢先生も知らず、奈津子さんも知らなかったろう。したがって、こんな絶望的になって、旅をすることもなかったろう。もしかしたら死のうなんて、夢にも考えなかったかも知れないのだ。

（どこの町に住むかということが、自分の運命にこんなにも大きな関わりがあろうとは……）

旭川を過ぎてからも、わたしはそのことを考えていた。

右手遙か東に、大雪山《だいせつざん》の白い峰が輝いていた。あの雪は、夏には跡形もなく融けてしまう。あと一、二か月の命なのだ。

わたしはつぶやいた。融けてしまうというのはいい。跡形もなく、なくなってしまう。

「融けてしまう」

そんな死に方が人間にもできないものか。

旭川の近くでは全山これ桜という山があった。山全体が桜色をしているのだ。その見事な眺めに、わたしはママを思った。ママに見せて上げたかった。

汽車は石北《せきほく》トンネルを通って、北見《きたみ》の国に出た。狭い沢に澄んだ水が流れていた。小さな流れを見るって、何か悲しいものだ。なぜだろう。一番小さな小さな流れ、それは何か知っている？　それはね、涙なの。だからよ、きっと、小さな流れを見ると悲しくなるのは。

わたしはそんなことを、胸の中でつぶやいていた。

網走の一つ手前に「呼人《よびと》」という小さな駅があった。わたしはハッとした。「呼人」とはまた何という痛切な地名であろう。いったい誰が、この名をこの地につけたのか。「幸福」という駅名より、「呼人」という名のほうが、ずっとわたしの心をひく。

海の上の空は明るいが、水平線がうすく黒かった。このあたりには、この月五月に、蜃気楼《しんきろう》が見えるという。外国の街のような影が白く空に浮かぶという。わたしたちの抱いているこの世への夢なんか、まったくの話蜃気楼に過ぎないのだろう。わたしは、それでもいい、それを見つづけることができるならば。それが消えてしまわないならば。わたしはそんなことを思いながら、ぼんやりと、窓の外に視線を投げていた。

斜里《しゃり》という街に、わたしは泊まることにした。駅前の、斜里館という古めかしい宿だった。わたしは最初、網走に一泊しようと思った。だが網走は、余りに有名過ぎきれい過ぎた。斜里の町からは川湯《かわゆ》とか弟子屈《てしかが》という温泉も近い。弟子屈は摩周湖《ましゅうこ》に近い。でもわたしは有名な温泉や観光地には泊まりたくはなかった。みんなの押しかける摩周湖も見たくはなかった。余り人に知られない、ひっそりとした斜里の町がわたしの心をさそったのだ。

で、いったん終着網走駅に降りた。だが、心ときめく人に背を向けるように、わたしは網走の街を見ずに、ローカル線に乗って斜里に行った。

七月には、網走から斜里までの沿線一帯が、原生花園になるという。斜里岳が優美に裾を引き、何十頭もの牛が、水芭蕉の白い群のほとりに悠々《ゆうゆう》と草を食《は》んでいた。ここは日本一の水芭蕉地帯だという。目のさめるような白、白、白の光景だ。左手に砂山がつづく。新芽がけぶるように美しい。（こんな美しい自然なのに……）

それに関わりなく、人間の姿は何とみにくく、侘しいのだろう。

斜里では、浜べで軽石を拾った。遠くに知床岬の見えるあたたかい陽ざしの浜べで。軽石と軽石を打ちつけると、骨のような音がした。ゴメがやさしい声で、わたしの頭上を舞っていた。なぜ海べの鳥は白いのかしら。そんなことをつぶやきながら、思うのはやっぱり沢先生のことだった。

「そうか、君はそんな女だったのか」

何としても、胸に突き刺さったまま、取り去ることのできないあの言葉。

「そうです。わたしはそんな女だったのです。だから、どうだというのです」

わたしは口に出していい、それに抗うように、この浜べで一番軽い軽石を探そうと思い立った。

ねえ、皆さん、人間はこんなつまらぬことにでも、自分をかり立てる時夢中になれるのです。わたしは一つ一つ軽石を拾いながら、これはこれより重い、これはこれより軽い、と両手にのせて重みを測りながら、軽い石を軽い石をと探しまわったのです。

何という無意味な！

どんなに軽い軽石が見つかったからといって、それが一体、何になるのだろう。誰を幸福にするというのだろう。

でも、大人たちがお金をためるのに夢中になるのも、結局はこれと同じことではないかしら。お金がたくさんたまったからといって、それで一体何になるのだろう。ほんとうに世の中の人を幸せにするのだろうか。大きな家を建てて、傍の小さい家に、日が当たらなくすることとは、おろかしくはござりませぬか。何だか、

「コケコッコー、夜が明けたー」

と叫びたい気持ち。

一番軽いと思った軽石を、海の中に投げこんで、わたしは宿に帰ってその夜一晩泣いた。涙は一体、どこから流れるのだろう。こんなにもたくさんの涙が、一体、体のどこにひそんでいたのだろう。体中の血液が涙に変わったような気がした。ママもパパも、わたしが函館の湯の川にでも泊まったと思っていることだろう。

二

翌日朝早く、わたしは、一人海辺に行って日の出を見た。海の向こうの知床半島の連山から、金色の朝日が昇った。向かって左手の知床岬の山の上に、小粒の金がピカッと光ったかと思うと、それが、ぐんぐん顔を出して、金色の大きな太陽となってあたりを照らした。わたしは、なぜかその太陽に、奇妙な敵意を感じた。それは余りに明る過ぎたからだ。一点のかげりもなかったからだ。余りに光り輝いていたからだ。

(この世に、一点のかげりもないものがあるなんて……)

わたしは信じられなかった。この光だけの存在である太陽が、ものを照らし出す時、そこに影ができる。明るければ明るいほど、影もまた濃い。わたしはきっと、そのことに敵意を感じたのかも知れない。

根釧《こんせん》原野は広かった。いや、果てしなく見えた。わたしはその日、弟子屈《てしかが》まで汽車で行き、弟子屈からタクシーに乗った。父よりも年を取っているような、寡黙な運転手さんだった。湿原の中に、小高い熊笹の丘があり、その向こうに更に湿原がつづく。湿原の中に、榛《はん》の木の林が芽を吹き出して、うす緑にかすむ。

「あの榛の木はね、役に立たない木でね、何せ、柔らかいんだよ。薪になるだけだな」

運転手さんがいった。何となく、背中でものをいっている感じだ。何も役に立たなくて、薪にしかならないなんて、わたしみたいだと思う。最後に、ただ焼き場で焼かれるだけの人間、榛の木より悪いと思う。

天気は昨日より少し悪くて、くもっていた。じわじわと、青空が雲にせばめられていくような天気だ。ゴルフ場のような牧草地がつづく。くもった空にヘリコプターが飛んでいた。

途中から雨が降ってきた。

「朝てっかりの、むこ泣かせだ」

運転手さんがいった。が、車が虹別《にじべつ》という、美しい名の村に入った頃雨はやんだ。車が道をそれて左の小高い草原に入った。起伏のある、丘ともいえないなだらかな丘だ。百メートルほど行った所で車はとまった。車を降りて、雨上がりの草原の上に立ったわたしは、

「まあ!」

と、思わず叫んだ。四方八方、何の遮るものもない。ただどこまでも広がる根釧原野だ。地平線が大きく円を描いている。つまり、四方八方が地平線だということは、わたしを中心に、巨大な円を地平線が描くということなのだ。わたしは、こんな眺望ははじめてだった。

大雪山のような高い所からの眺望は、幾度か経験した。また、連絡船から水平線を眺めたことはあった。だが、四方八方がぐるりと地平線だったことははじめてだった。ただ、一方にかすかに低い山がその円の上につつましくのっかってはいたが。

わたしは、かつて覚えのない感動に身を浸していた。

「雨がやんでよかったね」

運転手さんが、ドアをあけて外に立った。

「あ！　虹が」

再びわたしは叫んだ。太い虹が大きく根釧原野の上にかかっていたのだ。虹別という名にふさわしい光景だった。わたしはその太い虹を見ながら、思わず涙ぐんだ。何と自分の知らない光景がこの世にはたくさんあるのだろう。まだ二十そこそこのわたしには、この世の何もわかっていないのだと、つくづく思う。

しばらくして車は再び道に戻る。次第にうすれていく虹を見ながら、わたしはまたしても、沢先生を思った。

（この光景を、あの先生と二人で見ることができたなら……）

思っても甲斐ないことをわたしは思う。どんな素敵な光景だって、一人で見ては淋し過ぎる。共感する人のいない風景は淋しすぎる。

「詩は遠すぎます」

いつか、テレビの中で、アナウンサーにいっていた沢先生の言葉が、なぜか思い出される。

サイクリングの若者が二人、車輪をきらめかせながら、ペダルをふんでいく。わたしの車がそれを追い越した。わたしは何だかひどく恥ずかしかった。

（あれが若者の旅だ）

車になんか乗って、自分では指一つ動かさず、のうのうとしているなんて、これは決して若い者の旅ではない。若い者は、全身で行動すべきなのだ。

（でも、わたしは、もう人生のたそがれに立っている。わたしは老人なのだ）

最後かも知れないこの旅、わたしは持ち金の大半を、車代に使った。もし生きて帰るのなら、この途方もなく広い根釧原野を、わたしは歩いて帰ろう。

その時には、再びこの虹別の野に、大きな虹がかかるだろう。わたしはその虹の下をくぐって、一人黙々と歩いて帰るにちがいない。ふっとそんなことを思う。が、果たして、わたしはこの道を再び帰るや否や。

ああ誰か教えてほしい。自分の愛している人が、

「そうか、君はそんな女だったのか」

って、軽蔑して捨て去った時、それでもなお生きつづけることのできる力を、どうした

ら与えられるか、教えてほしい。

自分の父親が、自分と同じ年頃の女性を愛して、それに悩む母親が酒呑みになってしまったという、そんな生活の中で、なおも人間を信じつづけることのできる道があったら、どうかわたしに教えてほしい。

虹別を出、野付半島までの道を、車はひた走りに走った。どこまで行っても原野だった。何と広い原野だろう。広いということは、いったい何なのだろう。広さが人に力を与えるものなのか、人から力を奪うものなのか、そのどちらでもあるような感じがしてならない。

香川県の広さと同じだという日本一広い村という別海《べっかい》村を通り、やがて車は、オホーツクの海に出た。昨日斜里の浜で見たオホーツクの海は、青空の下に明るいのどかな春の海だった。が、今日のオホーツクの海は、くもり空の下に、秋の海のように侘しかった。ついに野付半島にきた。地図で見ると、ウラメシヤーの、あの幽霊の手そっくりの、かぼそい半島、でも、幅は結構何百メートルかはある。一番せまいところで二百メートルあるという。右に入江があり、左に海が広がる。驚くほど近くに国後《くなしり》島が見えた。山肌に白く残雪がへばりつく爺爺岳《ちゃちゃだけ》が見える。風が激しく、波がガラスの破片のようにガキガキに見える。

「冬になりゃねえ」

運転手さんがぼそりという。

「流氷があの国後島まで、びっしりとはりつめてねえ。歩いて渡れるんですよ。でもねえ、ソ連領になってからは、あの目と鼻の先の島にも渡れなくなりましたわ」

「そうなの。それが戦争というものなのね」

どこに誰が住んだって、いいじゃないかとふと思う。もしこの地球を神が作ったのなら、誰をどこに住ませようなどと、思わなかったにちがいない。

「どこにでも自由に住んでいいよ。みんなで仲よくおやりよ」

神さまなら、きっとそうおっしゃっただろう。

ふいに何だか馬鹿馬鹿しくなる。天地は神のつくったものだとしても、国は神のつくったものではない。わたしは、泳いであの国後島に渡ってみたいような誘惑を感じた。そうだ。ちょっと泳ぎの達者なものなら、泳いで行けそうなほどに近い距離なのだ。十二キロだと運転手さんはいった。

ちぢかんだトド松の防風林があった。牛の群が立ちすくんだように、じっと風に吹かれていた。柏の林もあった。次第に半島が狭ばまったり、そしてまた広がったりしながらつづいている。素朴な木の電柱が、両側に遠くまでつづく。電柱のつづく風景って、何とさびしいんだろう。

水芭蕉が湿地帯に、ぽつんぽつんと白く咲きかけている。ここでは、今、やっと春がきたよという感じ。

「岬までは二十八キロありますよ」

運転手さんはいい、

「来月になりゃあ、エビが解禁でね、この右手の湾には、三角の白帆をかけた舟が、百も二百も浮かんで、そりゃあ、花が咲いたようにきれいなもんですよ」

といった。わたしは、三角の白帆が浮かぶ様子を思い浮かべながら、何の舟影もない淋しい入江に目をやった。陸にも海にも人影がない。何か、地の果てという言葉が、実感となって迫ってくる。

半島の半分ほども走ったろうか。やがて車はとまった。

「トド原は、ここから右に、ずっと歩くしかありませんよ」

「ありがとう、じゃ、わたしはここで降りるわ。どうもご苦労さま」

「えっ？　ここで降りてしまうんですか」

運転手さんは驚いたようにわたしを見て、

「じゃ、帰りはどうするんで……」

「歩きます」

「そんな無茶な、歩くたってあんた、この半島を戻るだけでも十五、六キロはありますよ」

「大丈夫よ、若いんですもの」

わたしはわざと明るく笑ってみせた。

「しかし、若い女が一人……」

「大丈夫よ、歩いてみたいのよ。若いくせにここまで車できたのは、ぜいたくなのよ」

「まあ、カニ族はいくらでも歩いてきますがねえ」

不承不承金を受けとった運転手さんに礼をいって、わたしは車の外に出た。

用意していたビニールのコートを羽織り、リュックサックを背にわたしは歩き出した。

靴だけは頑丈な靴をはいてきたのだ。

三

　三十分ほど湿地を歩いてトド原についた。音に聞いたトド原だ。幾十本となく木が立枯れている。突っ立ったまま死んだ人間のようだ。木の幹も枝も皮が風化し、白骨のようだ。短い枝がトゲのように、くもった空に突き出している。その、墓のような木立の中に、倒れた木々が、これまた巨竜か動物の白骨のように無残だった。まさしく木の墓場だった。一枚の葉もつけない木を、わたしは冬の間いくらでも見てきている。しかしそれはみな、春になれば芽吹く命のある木だった。ここにあるのは、木の形をした、木の白骨なのだ。何の命もない。命のないまま、ただじっと突っ立ち、あるいは地に倒れているのだ。倒れた木は、前世紀の動物の骨のように、ぶざまにひっくり返っている。余りのいたましさに、わたしは立ちすくんだ。

　ダンテの「神曲」を描いた画集の地獄図にこんな光景があったと思いながら、わたしは呆然と立ちつづけた。風がビニールコートの裾をぱたぱたとあおいだ。どれ程経ったことだろう。気づくと、傍に小屋があった。六坪ほどの小屋だった。わたしはその小屋に入ろうとして戸に手をかけたが、なぜか開けるのがためらわれた。もっとまともに、このトド原に目を向けるべきだと思った。木の墓場を吹き渡る風の音のほかは、何の物音もしない。鳥さえも鳴かない。わたしは、白く風化した木々の姿を眺めながら、

（これが死の世界だ）

と思った。何だか自分が、死の世界に移されたような気がしたのだ。ここではもう、生の世界に帰ることが許されないような、そんな感じなのだ。わたしは知らぬうちに黄泉《よみ》の門をくぐって、死の世界に入ってきたのかも知れない。そう思って、本当に、きた道をふり返ったほどだ。そこには、歩きなずんだ茶褐色の湿地帯があるばかりだった。

わたしはトド原の中に入って行った。枝を天に向けて、突っ立っている木も、無残な姿を横たえている木も、わたしには死んだ人間の姿のように思われた。びしょびしょの湿地帯の中には、歩行者のためにつくられた橋があった。いや、橋といっては的確でない。といって道ではない。それは背のないベンチをどこまでも並べたようなものだ。その上を、わたしはゆっくりと歩いた。何の物音もしなかったこの所に、わたしの歩く足音が高くひびいた。それは、乾いた木の音だった。ひどく孤独な音だった。

冬のしばれた日、雪の上を歩くと、キュッキュッと澱粉を踏んだような音がする。あれは、一種独特な音だ。わたしには楽しい音だ。夜の舗道を歩くと、コツコツとひどく淋しい音がする。あの音も淋しいながら、好きな音だ。しかし、この木の上を歩く時の、いいよう

もなく乾いた音は、わたしまでが精気を吸いとられるような、変に乾いた音なのだ。

　わたしは時々立ちどまり、そしてまた歩いた。

（やがて七十年もすれば、わたしの知っている人はみんな死んでしまう）

たとえ、今、幸せであろうと、不幸せであろうと、死ぬということだけは確実なのだ。

わたしは、乾いた自分の足音を聞きながら、人間はみな、こんな足音を立てながら、死への道を歩いているような気がした。

　わたしはふっと立ちどまった。この場でわたしは死にたいと思ったのだ。このまま生きていたって、結局は、待ち受けているのは、何なのだろう。わたしは傍の湿地の中に、小さな水たまりを見た。くもり空を映して小さな水たまりに、風がさざ波を立てていた。

（もう一度、やり直すっていうことは……）

　二十のわたしは、また恋をするだろう。そして結婚して、子供ができて、その子は体が弱くて、夫は時々浮気をして、その姑はわたしに時々嫌味をいって……考えただけでも、わたしはくたびれるような気がした。

　生きるということは、人と関わりを持つことだ。人と関わりを持つということは、誤解したり誤解されたり――そうです、愛することだって愛されることだって、あれは誤解です。誤解だから、お互い自分勝手に思いこんで傷つけられたり傷つけたり、恨んだり恨まれたり、そんなこととのくり返しじゃないのかしら。喜ぶ時や楽しい時はほんのぽっちりで、悲しい時や淋しい時が長すぎる。生きるって、くたびれることだ。面倒なことだ。

わたしはそう思いながら、また自分の乾いた足音を聞くために、木の墓場の中を歩いて行った。もう正午を過ぎていた。リュックの中にはチーズと、宿でつくってくれたおにぎりとが入っている。これがわたしの最後の食事となるのだろうか。

とうとう、渡した木の道が尽きた。わたしはくるりとふり返り、平均台の上を歩くように、体のバランスをとりながら、再び戻った。

（要するに、死にたいってことは、理屈じゃないわ）

わたしはこのトド原を出て、再び人間のいる世界に帰る気がしなかった。

（死ぬとしたら……）

わたしは楽には死にたいとは思わなかった。誰にも自殺だとわからない死に方で、死のうと思ったこともあったけれど、今はそれよりも、死の恐ろしさを、苦痛を、味わうにいいだけ味わいたいような誘惑を感じた。

「眠り薬など、わたしは飲まない」

わたしは口に出して呟いた。このトド原の立ち木に首を吊ってもいいけれど、それも余りに楽なような気がした。一番苦しいのは、

（一番苦しいのは、餓死ではないだろうか）

長い時間をかけて死んでいくこと。それこそは本当に、完全に死ぬということのような気が、わたしはした。

わたしはさっきの小屋に戻った。こんどは戸をあけるのにためらいはなかった。六坪ほどの小屋の中には、土間のほかに、汚れた畳が三枚敷いてあった。わたしは畳の上に横になった。風のない小屋の中が、ひどくあたたかく感じた。

「沢先生……」

わたしは思わず先生の名を叫んでいた。叫んでから、なぜあの人の名を呼んだのかと、侘しかった。わたしを軽蔑し、わたしを捨て去った人を、なぜわたしは呼んだのだろう。軽蔑する人を軽蔑すればいいのだ。捨て去る人を捨て去ればいいのだ。

人の世界がいやになって、信ずることのない世界がいやになって、今ようやく、この地の果ての、地獄のような風景の中に、たった一人になれたというのに、なぜわたしは、あの人の名を呼んだのだろう。

こうした訳のわからなさが、人間の世を混乱させるのだ。わたしはリュックの中からおにぎりを出して食べた。海苔の匂いが驚くほどよかった。おいしかった。実においしかった。死のうとする人間に、なぜ、おにぎりがおいしいのだろう。死のうとする人間は、物の味などわからない筈だ。そう思いながら、わたしはおにぎりを平らげ、チーズを食べた。疲れていたからだろうか、さっき風が冷たかったからだろうか、わたしは激しい睡魔におそわれた。よく効く睡眠薬でも注射されたように、わたしは黒い睡魔におそわれた。

どのぐらい眠ったことだろう。わたしが目をさました時、空はやがて暮れようとしているようであった。よく眠るというのは、わたしが若く、健康だということかも知れない。わたしは畳の上に立って窓の外を見た。トド原の凄惨な光景には変わりはなかった。わたしはとにかく今夜ここで泊まることにした。できたら、あしたも泊まるだろう。そしてあさっても、そしてその次の日も。そしてわたしは、飢えのために、やがて死んでいくだろう。今、わたしの情熱は、死ぬということにだけ、集中しているようだった。

真っ黒い風というものがあるだろうか。風に色があるだろうか。わたしはあるような気がした。小屋のガラスは一晩中、その黒い風に打ち叩かれていた。たった一人で、わたしは闇の中にもう一人の自分を見つめるように、目を見ひらいていた。本当に暗い。何の光もないのだ。闇というものが、わたしには固体ではないかとさえ思われた。それほどに夜は暗かった。

明日の朝がこないうちに、わたしは死ぬのではないだろうかと思った。覚悟をしていたとはいえ、人気のない小屋の中は、余りにも淋しかった。長い長い夜だった。それは、かつて味わったことのない長さだった。一秒の長さが、百倍にも長かったのではないだろうか。いや、時は停止していたのかも知れない。しらしらと夜が明けてきた時、明るいということが、こんなにも人に平安を与えるものなのかと、わたしは驚いた。あれは多分、三時過ぎだったと思う。わたしはまちがいなく、夜が明けていくのを、いいようもない安らぎの中で、じっと見守った。見守っていなければ、朝が夜に逆戻りしそうに思われたからだ。それほど、たった一人の夜は余りにも長かった。膝小僧を抱えて、じっと闇の中にうずくまりながら、わたしが考えていたのは、やっぱり沢先生のことであり、パパと奈津子さんのことだった。パパが奈津子さんを愛している……そう思っただけで、わたしは新たに深い憤りを覚えた。沢先生がわたしを、

「そうか、君はそんな女だったのか」

といった言葉を思い出すと、体がふるえる思いだった。あの長い闇の中では、これらの強烈な事実以外に、わたしを支えてくれるものはなかった。

(明日の夜も、わたしはここに一人いるのか)

思っただけでゾッとした。が、再び帰る気はなかった。生きる目標をわたしは失っていたのだ。

（もし人を信ずることができるなら……）

そんなどうにもならないことをわたしは幾度か考えた。だが、信じ得る人間など、この世にはないとわたしは思った。目標もなく生きていくのは、もうわたしには耐えられないような気がした。

朝の日がのぼると、わたしはいつしか他愛なく眠っていた。目がさめた時、五月のひるの光は暖かかったが、風はやはり窓を打っていた。のどが乾いた。わたしはリュックサックをあけて見た。罐ジュースがあった。ママが入れてくれたのか。キャラメルもチョコレートもあった。わたしはジュースを飲み、チョコレートを食べた。そしてまた眠った。夜の間張りつめていた神経が、わたしをひたすら眠らせたのだろう。

午後になってわたしは再び、昨日のように木々の墓場を見、そして、あの乾いた足音を立てる厚い板の上を歩いた。一人の時間はまだ、二十四時間と経っていないのに、幾日も一人であったような錯覚をおぼえる。鏡のような入江の向こうに、家々が見え、窓ガラスか、トタン屋根か日の光を弾き返していた。

一人で一夜を過ごすと、ふだん何気なく家族と共に住んでいたことが、何か不思議な気がする。わたしはその夜も小屋で過ごした。

次の朝、わたしはかなり憔悴《しょうすい》していた。僅か一日食事をしないだけで、リュックをあける時のわたしの手がふるえていた。帰るなら今だ。今ならまだ帰る体力はあるだろう。そうは思いながら、しかしわたしは、帰ることを諦めていた。そのことでかえってわたしは、自分自身の深い傷を知らされた思いだった。

第十一章　木々の墓

第十二章　入　江

第十二章　入　江

一

家にいた時、わたしは誰もいない所に行きたいと、時折思ったものだ。

(誰も人のいない所、それがここだ)

時折風が窓を打つだけだ。恐らく、わたしの今いる何キロ四方かは、まったく人がいないにちがいない。かつてわたしがあこがれた、「誰も人のいない所」に、望みどおりにわたしはきたのだが、ああなんと、人のいない所は生きる力をも失わせる所だろう。

今ここに、どんなに憎い人間でもいい、誰かがいてくれたらと思う。一人でいると、考えは同じ所をぐるぐる廻るだけなのだ。口汚く罵られてもいい。殴られてもいい。どんなに邪悪な人間でもいい。わたしは今、人間の顔を見たいと、切実に思った。

誰かがいった。人間とは人の間と書く。人の間に住んで、はじめて人間は人間になると聞いた。そうかも知れない。木だって、傍にほかの木があるほうが、よく育つのだと聞いたことがある。

この、木の墓場トド原は、観光名所の一つである。けれども、シーズンオフの今、このトド原まで、寒い風の中をわざわざやってこようとする人間はいないらしい。

「オギャア、オギャア」

わたしは赤ん坊の泣き声を真似てみた。が、何と気力のない、息の途絶えそうな泣き声であることか。わたしは自分の声を聞いて、ゾッとした。ここで二晩わたしは泊まった。もう食べるものはない。昨夜まであったジュースも今日はない。だが、食欲もない。ただ変にのどが乾くだけだ。

（わたしは、ほんとうに死にたいのだろうか）

わたしはゆっくりと指を動かして見た。何かの本に、何十日断食しても、その小指がかすかに動く間は死なないと書いてあった。でも、水だけは飲まなければ、命は絶たれる。水のないこの場で、わたしはあと何日で死ぬのだろう。

（今ならまだ、歩いて帰ることはできる）

だが、十キロも二十キロも歩くことは、もうできないだろう。

不意に、わたしは死ぬことが恐ろしくなった。

（生きたい！　生きたい！）

わたしは切実にそう思った。カモメだろうか。鳥の啼く声が屋根の上に聞こえた。

ついさっきまで、わたしは死のうとしていたのだ。それなのに、不意にわたしの胸に臆病風が吹いた。死という字が、むやみに大きく、わたしにのしかかってくるのを感じた。黒い、頑丈な鉄でできた死という字。何十砘《トン》もありそうな、その死という字が、わたしの胸にのしかかる。そんな感じだった。わたしは畳の上に起き上がり、激しく首を振ろうとした。が、首を激しくふる力さえ失われていた。首はゆっくりと一往復しただけだった。

わたしは立った。足先がふるえる。が、歩けば歩ける。持ってきた着更えの下着を着、セーターを着、レインコートをその上に重ね、空《から》のリュックサックを背に負って、わたしは歩き出した。空のリュックサックさえ、もうわたしの体には重いほどだったが、疲れて休む時に、土の上に敷くためにリュックは必要だった。

わたしはのろのろと歩きはじめた。木の墓場が、初めて見た時よりも、鬼気を持って迫ってくる。木がゆらゆらと動きながら、わたしのほうに近よってくるような気がする。ある木は、へらへらと笑っているように見える。わたしが、一歩近づくと、枯れた木々も、その尖った短い枝も、わたしのほうに一歩近づくように見える。

不意に、枯れた木立が大きく廻りはじめた。わたしは恐ろしさに、両手で顔をおおい、その場にしゃがみこんだ。恐る恐る指の間から木々を見上げた時、わたしは自分が激しく目まいをしていることにようやく気づいた。何と人間の体は、速やかに憔悴するものなのだろう。

　よく新聞に、山に迷って死んだとか、わらび取りに行って道に迷って死んだとか出ていたが、その時わたしは、どうして一日や二日山に迷ったぐらいで、元気な人間が死ぬのかと、ふしぎでならなかった。が、自分が今、ひどく体力を消耗していることに気づくと、はじめてそのことが納得させられた。人間って、他愛のないものなのだ。たった二晩一人でここにいただけで、わたしの神経は極度に疲労し、二日間、ほとんど食事をしないというだけで、指先は老人のようにふるえている。激しい目まいが襲ってくる。恐らく、この体ではどれほども歩かぬうちに、この半島の湿地の中に倒れこんで、そのまま動けなくなってしまうにちがいない。小屋の中にいるのと、歩いて行くのと、どっちが助かる率が高いだろう。外を歩いているほうが、人目につく公算は大きい。しかし、倒れることも早い。

（死にたくない！　死にたくない！）

　なぜ、死にたいなどと思ったのかと、わたしは自分自身が腹立たしくなった。なぜ死にたかったのか、思い出すこともできなかった。

　わたしは、またのろのろと立ち上がった。激しい立ちくらみが襲った。うずくまりたいのを我慢した。もう一度すわれば、もっと激しい立ちくらみが襲ってきそうな感じがしたからだ。

（どっちみち死ぬのなら……）

湿地帯につんのめって死んでいる自分の姿をわたしは想像した。が、それは余りにも惨め過ぎた。小屋の畳の上で死んでいる自分の姿を思ってみた。それもまた若い女性らしい死に方とはいえなかった。が、わたしは、もう歩く気力はなかった。

再び、わたしはのろのろと小屋に戻った。がたぴしと、立てつけの悪い引戸をあけて小屋に入り、畳の上に仰向けに臥た時、わたしは初めて涙がながれた。母の泣いている顔が目に浮かんだ。

（ママの馬鹿！　ママの馬鹿！）

どんなに辛いことがあろうと、子供の前で酒を飲んで泣く母親がいるものか。わたしはかつて一度も抱かなかったママへの激しい怒りを、その時初めて抱いたのだ。

（ママの馬鹿！　ママの意気地なし！）

ママさえしゃんとしていてくれたら……ママさえ、あの沢先生を訪ねてくれなかったなら、わたしはあの先生を好きにもならなかったし、裸の上にコートも着なかった。

「そうか、君はそんな女だったのか」

と、軽蔑もされなかった。わたしはそう思って唇を噛んだ。

（死ぬ気になったのは、ママのせいよ）

それまで一度もそんなことを思わなかったわたしは、激しくママを憎んでいた。

（パパだって悪いのよ、パパだって）

ママを泣かせたのはパパなのだ。パパと奈津子さんが悪いのだ。

（奈津子さんも、沢先生も嫌い！）

わたしが裸の上にコートを着ていたというだけで、わたしが売春でもしたように、思いこんだ沢先生が憎かった。わたしを信じてくれない沢先生が憎かった。

死が恐ろしくなった瞬間、わたしは突然変異のように、自分を死に追いこんだ人々が憎くなった。

憎しみがわたしに気力を与えた。が、そのあとに激しい疲労が襲った。憎むことは、大きなエネルギーの消費だった。わたしはぐったりと疲れ、いつしかうとうとと寝入った。泣き寝入りする子供のように、しゃくり上げながら寝入った。眠りながら、このまま死ぬかも知れないと、わたしはぼんやりと思っていた。

どのくらい時間が流れたことだろう。わたしは再び目がさめた。口がカラカラに乾いている。体中の細胞が干からびていくような感じだった。

わたしは、唾でのどをうるおしたいと思った。だがその唾さえ出てこないのだ。ただ、口の中が松脂《まつやに》のように粘っこいだけなのだ。多分、胃液も、腸液も、一滴も出てこないにちがいない。そしてこの口の中のように粘りついているにちがいない。栄養を与えられない血液は、ただくたびれて体の中を廻っていることだろう。今、わたしの命を保つために確実にあるのは、清い空気だけだった。

（清い空気だけ）

わたしの乾いた唇がそう呟いた時、わたしは再び涙がこぼれた。先程、自分が父を憎み、母を憎み、沢先生を憎み、奈津子さんを憎んだことが思い出された。二十の娘が、死の間際に憎しみだけを抱くなんて……。まちがってもそんなことをするとは、思わなかった。死ぬ時だけは清らかな思いを抱いて、死にたいと思っていたのに。

ふしぎなものだ、唾は一滴も出ないというのに涙だけは出た。涙は一体、液体ではないのか。それとも唾が液体ではないのか。わたしはひどくふしぎな気がした。

リュックサックの中に、ただ一つ入っていたものがあった。それは、わたしが出がけにリュックサックに入れてきた本だった。「キリストに倣《なら》いて」という本である。わたしはその本をリュックのポケットから取り出した。目がかすんで、活字がぼやけている。涙のせいか、疲労のせいか。わたしはじっと目をこらし、活字を見た。わたしは目次を見、

〈死について静思すること〉

の二十三章をひらいた。

〈一、まもなく地上におけるあなたの最期は来るであろう〉

まったくその通りだとわたしは思った。つづいて、

〈であるから、あなたの魂の状態を考えて見るがよい〉

〈二、人は今日存在し明日逝《ゆ》くのである〉

〈三、そして彼は視界から去ると共に、人の心からも忘れ去られる〉

わたしは本を置いた。死ねばたちまち、人は忘れ去られるものなのか。わたしが死を思い立った時、永遠にわたしという人間が、わたしを知る限りの人の胸に刻みこまれることを期待していた。

「二十になるかならずで、早苗という娘は、オホーツク海の小さな半島の、トド原で自殺した」

わたしを知る人は、生涯このわたしの死を忘れないだろうと、わたしは思っていた。特にパパ、ママ、兄、沢先生、奈津子さんは、忘れようとしても、忘れられないだろうと思っていた。

けれども……ああわたしは思い出した。

「目の前から去る者は心から去る」

という、西洋の諺《ことわざ》があったことを。この諺は、もしかしたら、この「キリストに倣いて」から出た諺かも知れない。諺が諺である理由は、それはすべての人の心に共感を呼ぶからだ。たとえ例外はあるとしても。

とすれば、ああなんと人間という者は無情な者なのであろう。命をかけて何かをいおうとして死んで行く者の悲しみも、そしてその孤独さえも、遂には忘れ去られるというのか。忘れ去られたくなくて、わたしは死のうとしているのかも知れない。それなのに、人は忘れてしまうものだという。

　もう一つ思い出した。あれは中学の時だった。同じクラスの澄江さんが死んだ時だった。わたしたちクラスの仲よし三人は、火葬場までついて行った。澄江さんの体が燃えている間、わたしたち三人は、秋の日ざしの中で、長い煙突から出る煙を眺めながら、どんなに泣いたことだろう。ところが、火葬場の控え室にいた人たちは、そこに遺族がいるというのに、酒を飲み、ご飯を食べながら、大声で楽しそうに何かしゃべっていた。その楽しそうな人々の中に、何と彼女の親戚や、彼女の愛した従兄姉たちもいた。誰も、今、澄江さんの体がかまの中で燃え、煙になっていることなど、考えてもいないようだった。人が死んで燃やされようが、どうなろうが、痛くも痒くもありませんというのが、人間なのだ。たとえ、死んだ時に涙を流したとしても、その涙は、かんかん照りの最中に降った夕立よりも早くかわく。

　わたしがここで、人間を信ずることができなくなって死んだとしても、生きる目的が見出せなくて死んだとしても、他の人にとってはそんなことはどうでもいいことなのだ。来

年の今頃は、

「え？　今日は早苗ちゃんの命日ですって？　そうでしたかねえ。そういえば今頃でしたねえ」

　などといわれるぐらいが関の山だ。あの沢先生だって、きっと相変わらずラケットを握って、テニスコートを走りまわりながら、

「ケンサマー」

　などと呼ばれて、喜んでいるかも知れないのだ。パパだって、ママだって、兄だって、もう、あれがおいしいだの、これがおいしいだのって、結構食欲もりもりの毎日を過ごすのだ。そりゃあ、パパやママは思い出して涙を流すだろうけれど、でもただそれだけのこと。

　言葉にならない思いが、侘しくわたしを包む。のどの乾きが激しくなる。体がだるい。早く死が訪れないかと、ひそかにねがう。つまりは、人生ってこんなものなんだ。

　不意にまた、痛切に生きたいと思う。体の芯がねじれるような苦しさだ。死をねがう時、死は少しも恐ろしくなかった。が、生きようとする時、死は信じられないほど恐ろしかった。その恐ろしさが、渇きという、具体的な、生理的な苦痛となって、わたしに襲いかかった。わたしの持っていた本も、いつしか土間にころげ落ちた。拾う気力もない。加速度的に体の中から力が失われていく。命が、自分の体から脱け出すのを、明らかにわたしは感じて

いた。

二

そこはずい分暗かった。風が水のように流れるのが見える。もしかしたら、それは本当は風ではなくて、水かも知れなかった。その向こうに太い虹がかかっていた。暗い中に虹がかかっている。わたしはふしぎだった。しかも、その虹のひと所が、ピカッと金のように輝いているのだ。

「あれはほんとうの金かしら？」

わたしは呟いた。が、その声は影のように、声にはならない。その時耳もとで誰かがいった。

「金ではない。涙だ」

わたしは、涙があんなに燦然と輝くものだとは思わなかった。その虹の上に誰かが立っていた。真っ暗な中なのに、その姿はひどく鮮明に見えるのだ。その人は、わたしのほうを見ていない。背を向けて、じっと向こうを見つめている。長く白い衣を着た人だった。

わたしは心の中で、

（ああ、あの人だわ）

と思った。それは、ずっとずっと昔、わたしが一度会ったことのある人のような気がした。

二つか三つの時、いや、もっと以前に会ったような気がする。いや、もしかしたら、あれは生まれる以前であったかも知れない。そう思った時、その人はゆっくりふり返ってわたしのほうを見つめた。

（ああ、やっぱり）

わたしはあわてててひれ伏した。頭を下げると、わたしの頭はどこまでもどこまでも下がっていく。まるで雲の上でお辞儀でもしているように、下げた頭が際限なく下がって、体が逆さになってしまった。耳もとで、誰かが何かをいっている。わたしの体はぐらぐら揺れる。再びわたしはひれ伏す。ふかーい水底に沈んでいくような、いやな心地だ。

と、またわたしの体はぐらぐらと揺れる。地震かも知れないと思った。

「早苗さん、早苗さん」

誰かの声だ。ずいぶん遠く聞こえてくるような、すぐそばでささやかれているような、その声にわたしは答えようとするが、声が出ない。

突然、はっきりと声がした。

「早苗さん、早苗さんったら！」

わたしは目をさました。傍に、奈津子さんがいた。わたしは再び、気が遠くなった。

次に目をさましたのは、明るい朝の光の中だった。わたしの体は、あたたかい布団の中にあった。深い疲労が、体のどこかに、澱《おり》のようによどんでいる。けれども、あのひどい疲労がほとんどどこかに去ってしまっている。何よりもありがたいことに、あの渇きがとまっていた。寒さもまったく感じられない。わたしはまだ夢を見ているのかと思った。なぜならそこは、見も知らぬ部屋だったからである。

欄間に彫物がしてある。吉祥天女《きっしょうてんにょ》のような、ふくよかな天女が欄間の左右に対照して二人鮮やかに彫られてある。布張りの襖があり、襖には松の絵があった。

「気がついたようね、早苗さん」

傍で声がした。奈津子さんだった。まだ夢のつづきを見ているようで、わたしは納得できなかった。

「馬鹿ね、早苗さん」

奈津子さんが近々と、わたしの顔に顔をよせた。青ざめた奈津子さんのその顔は、ひどく凄艶《せいえん》に見えた。わたしはぼんやりと奈津子さんを見た。

「ここ、どこなの?」

「尾岱沼よ、尾岱沼の母の家よ」

「尾岱沼?」

ゆっくりと記憶が甦ってきた。そうだ、わたしはトド原の小屋の中に寝ていた筈なのだ。

尾岱沼の家並がその小屋のあるトド原から、湖のような入江越しに見えていた。その尾岱沼に、わたしはいつのまにきたのだろう。けげんそうに奈津子さんの顔を見ると、奈津子さんがいった。

「わたし、あなたの家にお電話したらね、函館に行ったとお母さんがおっしゃったの。でも、わたしなぜかあなたが函館に行ったとは思えなかったの。きっと、行きたいといっていた野付半島に行ったと思ったのよ」

なぜだろう。なぜこの人は、函館に行くといって家を出たわたしが、函館に行っていないと思ったのだろう。

「それでね、あなたのお母さんに、早苗さんは野付半島に行きたいとおっしゃらなかったって、お聞きしてみたのよ。そしたら、根室のほうに行きたいといったけれど、寒いから函館に行きなさいと申しましたっておっしゃるでしょう。ああ、やっぱり野付半島だわ。野付に行ったのなら、トド原だわ、わたしは直感的にそう思ったの」

わたしはふしぎなものを見るように、奈津子さんを見つめた。奈津子さんは、今までかつて見せたこともないやさしいまなざしで、わたしを見ながら、

「何もかもわたしの直感が当たっていたわ。あなたのお部屋がきれいに整頓されていたとあなたのお母さんから聞いた時、あ、これはいけないってわたし思ったの。で、ね、札幌か

ら野付半島まで車を飛ばしてやってきたのよ」

「…………」

「そしたら、やっぱりあなたがいたじゃない。あなたがもう死んだ人のように、青い顔で、あの小屋の畳の上に……気を失って……」

　奈津子さんは、その形のいい指を目頭に当てた。その指をつたって流れる涙を、わたしは見た。

「あなたが助けてくださったのね。ありがとう、奈津子さん」

　死にたくないと思いながら、死を覚悟しなければならなかったあの恐怖が、その時になって、ようやくわたしの胸に甦った。

「早苗さん」

　奈津子さんは、そのなめらかな頬を、わたしの頬になすりつけた。

「もう大丈夫よ」

　二人の涙が、二人の頬の間に、まざり合って流れた。

　しばらくして、奈津子さんは縁側の障子を大きくひらいて見せてくれた。そこには、尾岱沼の、鏡のような入江が広がっていた。うららかな五月の入江だった。その鏡のような入江の向こうに、トド原の岬がかすかに見えた。それを見た時、わたしの体の中を、鋭い戦慄《せんりつ》が走った。確かに自分が、死の世界から生の世界に移されたことを、わたしは感じた。

　若いわたしの体は、刻一刻元気を取り戻していくようであった。と、同時に、わたしの奈津子さんに対する不信の感情も甦ってきた。

（この人は、わたしの父と……）

　あのリンゴ園の傍の道を、睦《むつ》まじげに行く二人の姿が目に浮かんだ。いやだとわたしは思った。生きるということは、つまりは様々な事実をどのように受けとめていくかということでもある。わたしは、父と奈津子さんの間を、決して容認することはできなかった。奈津子さんがいやだった。父もいやだった。不潔だった。そしてまた、沢先生もわたしは許すことができなかった。頭からわたしを売春婦のように見下した、あの先生を許すことができなかった。

（生きるということは、憎むということなのか）

　わたしが、生の世界に移されたということは、必ずしも生きる喜びを得たということではなかった。ただ煩瑣な日常が甦るということであった。

　何と人間はぜいたくなものであろう。死の不安がなくなった時、わたしはただ、生きることの煩わしさだけを感じた。父が若い愛人を持ち、それをただ酒を飲んで泣くしかない母、そんなこわれた家庭に帰っていくことに、何の喜びも感じなかった。しかも、わたしを嫌悪する沢先生のいる世界、札幌という街には帰って行きたくはなかった。

静かな櫓の音がして、舟が縁側のガラス戸をよぎって行った。それを眺めながら、わたしはのどかな光景だと思った。が、その櫓をこぐ人の生きざまは、必ずしものどかではあるまいと思った。家には、口やかましい妻がいるかも知れず、親にたてつく息子がいるかも知れず、病人の老人がいるかも知れないのだ。人間は、単に眺められる存在ではないのだ。

(誰もが自分の人生を生きている)

舟がよぎって、また青い入江だけを見ながら、わたしはそう思った。

(生きるって……一体どう生きたらいいのだろう。何のために生きたらいいのだろう。何をみつめて生きたらいいのだろう)

わたしはとめ度なくそんなことを考えた。そんなわたしを気づかうように、奈津子さんが幾度も部屋に出たり入ったりした。

どこか家の中で人声がする。が、姿を現すのは奈津子さんばかりだ。

(確か、母の家と奈津子さんはいった)

わたしの心は、まるであちこち眠っていたり、傷ついていたりして、その一つ一つが、時間と共に徐々に目ざめたり医《いや》されたりして、元の自分に戻っていくようだった。わたしはそれまで、ここが奈津子さんのお母さんの家だということを、現実として受けとることができなかったのだ。確かに、奈津子さんは、「尾岱沼の母の家なの」

といいはした。が、それは、わたしに現実的な意味を一つも帯びては迫らなかった。それが不意に、

（あ、ここは奈津子さんのお母さんの家だ）

と、わたしは思い出してあわてたのだ。

奈津子さんのお母さん、それはわたしにとって強烈な印象のある人だ。いつか奈津子さんの家で、聖書からはらりと落ちた一枚の写真を見た。何げなく手にとって見た写真の中のその人、それは光が人になったような明るさに満ちていた。

（あの人がこの家にいる）

わたしの胸はときめきに似た胸騒ぎを感じた。それは、一体何だったろう。初対面の人に持つ期待とはじらいであったろうか。いや、それだけではなかった。わたしの胸のうちに、わたし自身さえ気づかぬ何かがあったのだと思う。

（それにしても……なぜその人がここに現われないのだろう）

それがわたしにはふしぎだった。もしかしたら、その人は若い女の子のわたしが、あの小屋の中で意識不明になっていたことを、あまり快く思っていないのかも知れない。こう

して床の間つきの立派な座敷に、のうのうと寝ているわたしが、不快なのかも知れない。

またひと眠りして頭もはっきりしてきた。体力も出てきた。もう起きてもいいような気がする。多分、わたしがこの家にきて、半日は過ぎたのではないか。時間の流れのわからぬままに、わたしはそんなことを考えた。午前のようにも、午後のようにも思う。知らぬ間に、わたしは水も飲ませてもらったらしい。傍に横飲みがあった。そういえば、水を飲んだ記憶があるような気がする。夢の中で、大きな器に入った水をがぶがぶ飲んでいた記憶と現実が、わたしの体の中で混じり合っていた。

奈津子さんが入ってきた。

「わたし、もう起きるわ」

わたしは布団の上に起き上がろうとした。

「駄目よ、急に起きちゃ」

あわてて奈津子さんがわたしをおさえた。

「何だか起きて見たいの。大丈夫だと思うの」

「じゃ、起きるだけよ。わたしが起こしてあげる」

奈津子さんは熟練したナースのように、わたしの上に屈み、

「さあ、わたしの首に両手をかけるのよ。そう、じゃ、目をつぶって、静かに起きるのよ」

といった。わたしはいわれたとおり奈津子さんの首に両手をまわした。奈津子さんの手が、わたしの手と肩にそっと置かれ、わたしの体は徐々に徐々に起こされた。

「どう？　目まいはしない？」

何とやさしい声なのだろう。なぜこんなにやさしいのだろう。奈津子さんは、わたしが父の子だから、こんなにもやさしくしてくれるのだろうか。瞬間、父と奈津子さんの歩いて行く姿が再び目に浮かんだ。

「大丈夫よ。目まいなんかしないわ」

わたしは少し固い声で答えた。

「そう、よかったわね。じゃ、少しの間こうやっていましょう」

奈津子さんは立って、すばやく押入れから布団を出し、それでわたしの背を支えた。

「ご親切ね」

わたしはちょっと皮肉な微笑を浮かべた。その親切にごまかされはしないという気負いがあった。そのわたしを彼女は黙って見、

「早苗さん、あなた、一つ誤解してることがあるわ」

気品のある声だった。わたしはちょっと気おされたように彼女を見た。彼女は、外の海

に目をやって、

「あなたのお父さんとわたしのこと……早苗さんは何だと思ったの」

「それは……愛し合っているように見えたわ」

「愛し合っている……男と女が？」

「そうよ」

「それで、あなたはお父さんに絶望を感じたのね」

　わたしは黙っていた。何もかも知っていて、一体この人は何をいおうとしているのだろうと思った。

「わたしとあなたのお父さんは、確かに愛し合っているわ。でも、男と女としてではないわ」

「じゃ、何だとおっしゃるの。お友だちだとおっしゃるの」

「明日になったらわかるわ……明日になったら」

「明日になったら？」

「そうよ」

　なぜか彼女は、ひどくさわやかな微笑をわたしに向けた。

　その明日がきた。わたしはもう昨夜から、立ってもふらふらしなかったし、夕食の三分粥も、おいもの味噌汁と共においしくいただいた。食事を運んできたのは中年の女性だった。

はじめ、わたしはてっきり、その人が奈津子さんの母かと思ったが、その顔はあの写真の人ではなかった。人のよさそうな、幾分肥り気味の、丸顔の人だった。

「お疲れはなおりましたか」

その人はやさしくいい、あとは何も尋ねはしなかった。なぜか奈津子さんは、食事の間中姿を見せてくれなかった。

食事を運んでくれた人はその人だったし、洗面所に案内してくれたのもその人だった。

朝食が終わった時、はじめて奈津子さんが部屋に入ってきた。

「顔色がよくなったわ。もう大丈夫ね。母が会いたいといっているの。会ってくださる？」

わたしはうなずいたが、なぜか姿を現さない奈津子さんの母に、幾分敵意さえ抱いていた。

けれども世話になったお礼だけはいわなければならないと思った。

第十三章　野に立つ虹

第十三章　野に立つ虹

一

わたしは極度に緊張していた。長い廊下を……わたしにはひどく長く思われたが、しかし実際には七、八メートルの長さだったかも知れない……奈津子さんに従って歩いて行った。

わたしの寝ていた部屋は二間《ふたま》つづきの離れであって、母屋《おもや》とは廊下でつながっていたのだ。庭越しに、今日も入江の青さが鮮やかだった。わたしは足がふるえそうなほどに緊張している自分を、どうすることもできなかった。一歩また一歩と、わたしは数えるようにして歩んで行った。わたしの部屋に現われないその人は、わたしを見ていきなり非難を浴びせかけるのではないかと思った。けれども、写真で一度見たことのある、奈津子さんの母なる人の印象は、そのきびしさとは重ならなかった。

わたしはふっと立ちどまった。

「どうなさったの」

黙ってわたしの前を歩いていた奈津子さんがふり返った。何か悲しみに覆われているような目の色だった。

「何だか、こわいわ」

「こわい？　何が？」

「あなたのお母さんが」

「わたしの母が？」

驚いたように奈津子さんはわたしを見、

「今まで、母をこわがった人は一人もいないわ」

彼女は一歩わたしに近づいて、

「早苗さん、わたしね、何もいわずに母に会ってもらおうと思っていたの。でもやっぱりそれは無理かも知れないわね。母は、ずっと以前、もう二十五年も前から、立つことができないのよ」

「まあ！　どうなさったの？」

わたしは、たった今まで、自分の部屋を訪れない奈津子さんの母に、敵意さえ感じていた自分を恥ずかしく思った。

「今では交通事故なんて、まったく日常茶飯事《にちじょうさはんじ》みたいに珍らしくはないけれど、その頃ではめったにないことだったの。母はわたしを産んで間もなく、トラックに跳ねられて、頭と腰を打ったの」

「まあ！」

「母は、二年ほど昏々と眠りつづけたそうよ。二年ほどして、ようやく昏睡から覚めたそうだけれど、事故に遭ったことも、意識障害のあったこともわからないの。ただ、昔のことだけが、ハッキリとわかっているだけね。自分の年齢さえわからないのよ。わたしが子供であるということも、母にはあやふやなの。それをわかっていてね。あ、それから、三木というあなたの姓だけはタブーよ」

「タブー？　なぜ？　なぜなの」

尋ねるわたしに、奈津子さんは人さし指を口に当てると、

「詳しいことは、後でお話するわ」

と、背を向けた。

歩き出す奈津子さんのうしろに、わたしはたくさんの疑問を抱きながら、とにかくついて行った。と、この家には不似合なような、飴色のがっしりとしたドアがあった。奈津子さんがノックすると、中から返事があった。その声は、少女のように澄んでいた。奈津子さんはドアをあけ、先に入った。わたしは恐る恐る後につづいた。

ハッと、わたしは立ちすくんだ。その十畳ほどの洋間には、大きなマホガニーのベッド

があり、その上に、上半身をもたせかけて、斜めに仰臥しているお下げ髪の女性がいた。それが、あの写真の人だった。わたしがハッとしたのは、奈津子さんの母という年齢とは、余りにもかけ離れた若さの故だった。一見その人は、あの写真とほとんど年代が変わらないように見えた。明るい澄み通ったような微笑をたたえて、その人は肩に垂れたお下げ髪をもてあそんでいた。

わたしはうろたえた。この人が奈津子さんの母親なのか。この人が、二十五歳の奈津子さんの母親なのか。どう見ても、せいぜい三十二、三にしか見えない。この人の上に、年月は何も刻まれていないように見えた。わたしは、自分の頭が錯乱しているような錯覚をさえ覚えた。

「あのね、小母さん、この方がわたしの友だちの早苗さんなのよ」

ひどくやさしい声で、奈津子さんはいった。奈津子さんは、その人を母とは呼ばずに、小母さんと呼んだ。わたしを三木早苗とはいわずに、早苗の名だけを告げた。三木という姓はタブーだといったとおりだった。

「おせわになっております。この度はとんだご迷惑をおかけしてしまって……」

わたしが礼をいうと、その人はちょっと首をかしげ、

「ようこそ、よくいらしてくださいましたわね」

と明るくほほえんだ。この人はまるで、わたしが死にかけたことを知らないようであった。いや、知らないにちがいない。奈津子さんは、次のわたしの言葉を制するように、

「小母さん、早苗さんって、とっても親切なのよ。わたしが札幌で足を怪我した時、メリケン粉を酢やカラシで練り合わせて、湿布《しっぷ》してくださったのよ」

奈津子さんは明るくいった。それは奈津子さんにしては、余りにも明る過ぎる声音だった。いつものの、あの半眼を閉じ、幾分ものうげに語るのとは、余りにもちがっていた。一体これはどうしたことだろう。

「それはそれは、ご親切にありがとう。奈津ちゃんとお友だちになってくださって、うれしいわ」

この人の声は、一体何という声なのだろう。わたしはその言葉に、日の光のようなあたたかさを覚えた。どんなに冷たい心を持っていても、この春の日のようなあたたかさにあえば、その頑《かたくな》な冷たい心は、たちまち融かされてしまうにちがいない。素直になるにちがいない。先ほど奈津子さんが、

「わたしの母を恐ろしいといった人は、一人もいないわ」

といった言葉が、鮮やかに思い出される。

声だけではない。その表情の何と明るいことよ。それは、信頼と愛情に満ちたまなざし

のせいであったからかも知れない。けれども、まなざしだけのせいではないように思われた。形のいい、ややはにかんだような口元がほころぶ時、白い歯が、一本一本笑っているようであり、バラ色の頬も優雅に微笑んでいた。そうだ、この人は優雅でありながら、底ぬけに明るいのだ。

「おかげんはいかがですか」

いつのまにか、わたしの抱いていた恐れが、跡形もなく消えていた。いや、それどころか、いいようもなく強く惹《ひ》かれるものを感じて、わたしは奈津子さんにすすめられるまま、ベッドのそばの椅子に坐った。

「ありがとう。もう、痛いところはどこもないのよ。ただ、立てないだけですの」

「立てないのは、大変ですわね」

「でも、わたし、きっと立てると思っているのよ。まだ、二年ぐらいでしょう。車にぶつかってから」

「二年ですか」

二十五年も前と聞いたが、この人は二年前と信じているようであった。

「そうなの。フィアンセが待っているので、早く立てるようにならなくてはと、思うんですけれど」

その人は少女のようにはじらった。

「フィアンセ?・」

わたしはベッドの向こうにいる奈津子さんを見た。奈津子さんの目がうるみ、彼女はかすかに頭を横にふった。

「お大事になさってください」

多分この人は、今はいないフィアンセのくることを信じているのだと、わたしの心は痛んだ。

「あなたのおうちはどこですの」

「札幌です」

「ご家族は」

「両親と、兄が一人おります」

「お幸せね。札幌のあの北大のエルムは、もう三年も見ていないわ。わたしもなおって、行って見たいわ」

その人は、やさしくわたしのほうに手を伸ばした。白いふっくらとした手であった。手までが少女のように見える。わたしはその手をそっと握った。その人の手が、わたしの手を握り返した。意外に力強い握り方だった。

「お父さんは、何をしていらっしゃるの」

「父は……」

いいかけた時、わたしはハッとした。

（もしかしたら⁉）

わたしは思わず腰を浮かした。さっき、奈津子さんは、三木という姓はタブーだといった。

（もしかしたら……）

わたしは奈津子さんを見た。奈津子さんは、口に人さし指をあて、じっとわたしを見た。

「父は、平凡な会社員です」

わたしの声はふるえた。

「そう……あなたは？」

「大学です。短大ですけれど」

「読書がお好き？」

「ふつう程度に」

わたしの胸は、いいようもない予感に動悸していた。

「誰がお好きなの」

「はい、あの、トルストイなんか」

わたしは口から出まかせをいった。トルストイでも、ジイドでも、かまいはしなかった。「そう、ロシヤ文学がお好きなのね。わたしはフランス文学が好きなの。わたしのフィアンセもフランス文学が好きなものですから」

父の書斎にずらりと並んだ、ジイドやモーリャックの原書が目に浮かぶ。わたしは軽い目まいを覚えた。わからなかったことが、今、不意にはっきりとわかってきたような気がした。

「じゃ、早苗さん、あちらに行きましょう」

奈津子さんの声に、わたしはほっとして立ち上がった。

「お大事になさってください」

確か、もう五十に近い筈のその人は、それが癖なのか、お下げ髪に手をやりながら、にっこりと微笑し、

「また、あとでいらしてね」

と、わたしを見た。気がつくと、彼女の病室には、天井までの丈高い本棚が、ぎっしりと壁を占めていた。若かりし日、如何に彼女が読書家であったかを物語るように、その本はほとんど、日にやけた古びた本であった。縦長の窓が二つ、白いレースのカーテンをおろしていた。その向こうに青い入江があり、そしてそのはるか彼方に、あのトド原があった。

第十三章　野に立つ虹

わたしはまるで、彼女という人を少しでも多く知ろうとするかのように、無遠慮に部屋の中を見まわし、自分が立っていたのが、外国製の厚いジュータンであることも、部屋から出る時に足と目で確かめた。彼女の枕もとに一枚の絵があった。それは、ゴッホの「炎の人」の複製であった。

「お大事に、またお伺いします」

頭を垂れ、わたしはよろめくようにその部屋を出た。

二

部屋に帰ったわたしと奈津子さんは、しばらく黙って向かいあっていた。わたしは何も尋ねず、彼女も何もいわなかった。カモメの啼く声が聞こえていた。

わたしには、尋ねたいことがたくさんある。が、尋ねることが恐ろしかった。しかし、恐ろしいからといって、避けることはできなかった。

「疲れたでしょう」

しばらくして奈津子さんはいった。

「いいえ。奈津子さんこそ、お疲れになったでしょう」

「疲れたという言葉は、的確ではないけれど……やっぱり、疲れたというのかしら」

「お母さんって、すばらしい方なのね」

「すばらしい？　あなた、ほんとうにそう思う？」

「思うわ。あの方のような、光のような美しさって、わたし、見たことがないわ、聞いたこともないわ」

「……そして、かわいそうな人……」

奈津子さんは両手で顔を覆った。わたしの胸にも、熱いものがこみ上げた。

「あなたには……母に会っていただくべきかどうか、迷ったのよ」

ややたってから、奈津子さんは指で涙をぬぐいながらいった。

「でも、会っていただくべきだと、わたしは判断したの。あのトド原に死のうとしたあなたに、あの母と会うことは、どうしても必要なことだと思ったのよ」

その判断は正しかったと、わたしは思った。確かにあの光のような人に会って、わたしのどこかが変わって行くのを感じたのだ。

「奈津子さん、あなた、あの方が本当のお母さまだとおっしゃったけれど、あなたの本当のお父さまは？」

奈津子さんは、じっとわたしを見つめた。冷たくも見えるほどに静かなまなざしで。が、それは正確にいえば静かというより、緊張の極みの故に、静かに見えたのかも知れない。

わたしの胸は無気味なほどに動悸した。

「もしかしたら……わたしのパパが、あなたの……」

「…………」

「奈津子さん、おっしゃって、何もかも」

奈津子さんは深くうなずき、

「じゃ、お話するわね」

　奈津子さんは、わたしから目を外らし、窓の外に目をやった。いや、窓の外というより、遠い遠い過去を見るようなまなざしだった。

「それはもう、二十七年も前のことなの。学徒出陣で、南方に行っていたあなたのパパが、戦争から帰ってきたのは……」

　わたしは息をつめた。

「その頃、世の中は混乱していたようよ。でも混乱の中に、建設の息吹きがあった時代ね。あの母は、根室生まれの根室育ちなの。回漕《かいそう》問屋の娘で……。でも、女学校が札幌だったので、札幌の商事会社に勤めていたの。その商事会社に、あなたのパパも復員した翌年、勤めることになったのね」

「そこで二人が知り会ったのね」

「そうなの。二人共、フランス文学が好きで、読書会を開いたりして、急速に近づいて行ったらしいの。母はね、社長や社長の家族にもかわいがれて、本当に親戚のようにしてもらっていたらしいの」

　わたしは、今見たばかりの、奈津子さんのお母さんを思ってうなずいた。誰だって、人間なら愛せずにはいられないような、無邪気さと、素直さと、光り輝く明るさとがあった。

「ところがね、もう結婚の日取りも決まってから、あなたのパパが、急に発熱して倒れたの。それが肺結核の熱だったのね。ほら札幌の近くに、白川療養所ってあるでしょう。あそこに入ったのよ」

パパが結核になったことを、わたしは聞いたことがなかった。それはあるいは、パパにとって、秘められるべき過去だったのかも知れない。

「当時は、結核というと、恐ろしい病気だったそうよ。特効薬のストレプトマイシンが、ようやく造られたばかりで、まだほんの特殊な人しか、手に入れることができなかったそうよ。で、当然結婚は延期されたわ。でも、その時もうわたしは、母のお腹に入っていたのよ」

「それで……どうして結婚しなかったのかしら」

「二人共、結婚するつもりだったのよ。でもね、まだ当時は、結婚前に子供を産むってことは、昔気質の祖父母にしても、そりゃ世間体のわるい、恥ずかしいことだったらしいの。といって、おろすことはなお恐ろしいことだったの。わたしの祖父母は、結婚前に子供を産ますような男は気に入らぬといって、とにかく産まれたらすぐに、わたしをどこかにやるつもりだったの。それを聞いて、社長の娘さんが、ちょうど子供ができなくって、淋しくしていたものだから、わたしをもらってくれたのよ」

「それが、沢先生のお姉さんだったのね」

うなずいて、奈津子さんはほうっと吐息をついた。沢先生の名をいったその時、奈津子さんの目に暗い影が走った。わたしはその表情の中に、奈津子さんの、沢先生に対する断ち難い愛を見たような気がした。

「母はね、わたしがもらわれて行って、しばらくぼんやりしていたようなの。でも、わたしの育ての母がいい人で、三木さんと結婚したら、きっとわたしを返して上げるって、約束したらしいの。それで母は、少しは落ちついていたらしいんだけれど……」

「……そして？」

「わたしの育ての母は、根室で牧場をやっていたのよ。ま、偶然わたしの本当の祖父母の家と同じ街だったわけね。母はきっと、わたしの顔を見たかったと思うのよ。わたしがもらわれて、二か月たった頃かしら。多分それまでも、わたしのもらわれた家のあたりをうろうろしたと思うんだけれど、その日、牧場のある納沙布《ノサップ》岬のほうに出かけて行ってトラックに跳ねられたの。何でも、霧の深い八月のことだったというわ」

わたしは、霧にまぎれて、わが子のいる家のあたりに佇む、奈津子さんの母の姿を思い浮かべた。いいようのない思いが胸をしめつけた。

「それっきり、母は人事不省におちいったわけよ。おまけに腰の骨を折って、下半身は麻痺してしまったの」

「そのお母さんを、パパは捨てたのね」

鋭くいうわたしに、奈津子さんは、ゆっくりと首を横にふった。

「ちがうわ。捨てたのじゃないわ。パパはね、半狂乱になったんですって」

パパと奈津子さんがいった時、わたしは、

(ああ、この人はわたしのお姉さんなのだ)

と、はじめて実感した。何ということだろう。余りのことに、わたしは頭が混乱していたにちがいない。わたしはふっと、いつか奈津子さんが、わたしを病院に見舞いにきて、

「きょうだいのしるしよ」

と、額に口づけしてくれた真情を、やっとわかることができた。奈津子さんの話はつづいた。

「パパは、もう自分の病気のことも忘れて根室に駆けつけたそうよ。そして必死になって看病したんですって。でも、母の両親が、こんなになったのは、結局はパパのせいだって、決して許してはくれなかったんですって。それに、第一意識不明でしょう。足腰は立たないし、社長、つまり、今のわたしの祖父にね、もう諦め給えっていわれて、泣く泣くパパは諦めたのよ。いいえ、諦めのつかないままにあなたのママと結婚したのよ」

「まあ!」

わたしは、ママの涙を思い出した。ママがお酒を飲むようになったのは、わたしの中学生の頃からだった。

「じゃ、それっきりだったの」

奈津子さんは頭を横にふって、じっとわたしを見つめた。そして、わたしの手をしっかりと握ると、

「早苗さん、わたしたちのパパはね、わたしたちのパパは、立派な人よ。その後幾度も見舞いにきたの。ところがある時、母の意識が回復して……それはしばらくはふつうの人のようではなかったけれど……今もそうよ、自分が事故にあったことも、年月の経過もあのとおり、はっきりしないでしょう。で、母は、いつまでも、事故直前までのことを現在のように思って生きているのね」

「……現在のように？」

「そうなの。つまり、母にとってパパは、今も恋人なの。早くなおって、三木さんと結婚しなくちゃと思っているの」

「まあ！」

わたしは言葉もなかった。常人にとっては過去となったことが、その人にとっては、現在であるという。何という痛ましいことであろう。

「……それで、パパはね、結婚以来ずっと、あなたのママには内緒で、この家まで何度も何度も、見舞いにきてくれたのよ。今もきているわ」

「まあ、今も？」

「そうよ。釧路や根室に出張があるでしょう。その時、時間をやりくりして、パパは二十何年前の青年になって、わたしの母のところにやってくるのよ」

わたしはうなだれた。ママが酒を飲みはじめたのは、ある時、その事実をパパがついに打ち明けたからかも知れない。そうだ、そういえば、ママはいつか、

「パパはいい人なのよ、よすぎる人なのよ」

と泣いたことがあった。わたしはパパがこの家に現われて、あの一生立つことのできない人を慰める姿を思うと、いいようもない思いに胸が刺された。パパはうす暗くなった書斎で、涙をこぼしていたことがあった。一体誰がそのパパを咎めることができるだろう。ましてや、二十何年前の時点に生きている奈津子さんの母をどうして咎めることができるだろう。といって、自分の夫が、自分とはまったく別の世界で、他の女性の恋人になっていることを嘆くママも、咎めることができない。結局は、みんないい人なのだ。確かにママのいったとおり、

「いい人過ぎるのだ」

しかし何と人間の世界はふしぎなものであろう。いい人であっても、人は人を傷つけずには生きていけないのだ。

「ごめんなさい。奈津子さん、わたしは、汚いわ。パパとあなたのこと疑ったりして……」

「いいのよ、早苗さん。知らなければ、誰だって……そんなふうに思うわ」

深い吐息を奈津子さんは再び洩らした。その淋しげな横顔を見つめながら、わたしは思いがあふれて、思わず、

「お姉さん！」

と叫んでしまった。

「早苗ちゃん」

姉はわたしの肩をそっと抱いてくれた。そしていった。

「わかる？　早苗ちゃん。なぜわたしがあなたを母に会わせたか」

わかるような気がした。が、余りにも思いがけない事実に、わたしは何もわかっていないような気もした。わたしは首を横にふった。

「早苗ちゃん、わたしも一度睡眠薬を飲んだことがあったけれど、人間は死んじゃいけないのよ。わたしは母を見ているとそう思うの。母は足腰も立たないけれど、早苗ちゃん、母はね、ただの一度も愚痴ったことがないのよ。神さまが与えてくださった命だもの、大事に生き

なくちゃあって、母はいつもそういうの」

「神さまが、与えてくださった命？」

「そうよ。母はまだ、自分の齢が二十七、八だとしか思っていないわ。そして、自分の生きた何年かの記憶を、完全に失ってもいるわ。ある時は逆行性痴呆症《ぎゃっこうせいちほうしょう》でもあったわ。でもね、母は人間として、決して忘れてはならないことだけは、ちゃんと覚えているのよ。命以上に大事なものはないわ。その命を、神が与えてくださったものとして、感謝して生きているってすばらしいと思うの」

　元気な人ならともかく、永久に立つことのできない人間が、感謝して自分の人生を生きるということは、どんなに大変なことかをわたしは思った。そうだ、確かわたしには命は神から預かったものだということを、決して忘れてはいけないといった人があった。わたしがふらふらと赤信号を渡った夜だった。わたしの首をしめる真似をして、わたしに活を入れてくれた人だった。そうだ。あの人はいった。

「人生には失恋もあれば、裏切りもある。自分の命よりも大事だと思っていたものが、失われることだってある」

「あんたの受けた傷は、みんなが一度は受ける傷かもしれない。生きて行くということは、傷つけ合うことかも知れないよ。何の傷も受けずに、この人生を終われる者があるものか」

「人生というものは、この一分後に何が起こるかわかりやしない。死ぬまでには、いろいろ辛い思いもするさ。大変なことが待っているのが人生さ。そして、それをひとつひとつ乗り越えて行くのが、本当の人生というものだ」

まるで、昨日聞いた言葉のように、あの佐川という人の言葉が、はっきりと胸の中に甦った。

わたしは、たった二十年の、経験の少ない中で、余りにも早く答えを出していたような気がする。

「人間なんて、信じられない」

「真実なんて、ありやしない」

「生きるに価しない人生だ」

わたしは本気でそう思っていたのだ。何という傲慢《ごうまん》さであろう。生かされている命を、自分勝手に生きていると思っていた傲慢さ。そこにすべての誤ちが発しているような気がした。わたしは、神につくられた命なのだ。地球始まって以来、わたしとまったく同じ人間は、ただの一人もいなかった。その何万兆、何億兆の、他の人間とはまったくちがう三木早苗という人間を、つくってくださった創造者の心を、わたしは本当に知らなかった。

それが、姉奈津子さんのお母さんの、あの痛ましい姿に会ってはじめて、目から鱗がおちたように、命の大切さがよくわかったのだ。そしてまた、この世に真実がないと信じていたわたしに、真実な愛があることも、はっきりと知らされた。その上、わたしが心ひそかにあこがれていた桐井奈津子が、わたしと血のつながった姉であることも知った。

「お姉さん、お姉さんはどうして、人を信じられないとおっしゃっていたの？」

このパパと、そのお母さんの美しい愛を見ながら、なぜ人が信じられなかったのか、わたしにはふしぎだった。

「それはね……早苗ちゃん、わたしは母の子よ。母の子であるわたしは、やっぱり永遠を誓うということはできないことなの。もしわたしが、母と同じような怪我をした時、沢謙三さんは他の女性と結婚するかも知れない。そう思うとね……わたしは貪欲なのかしら……たまらない気がするの」

そうかも知れないとわたしは思った。

「お姉さん、わたしずっと心に残っていた言葉だけれど、喫茶店で初めてお姉さんに会った時、お姉さんはこういってらしたわね。人間は本当に、男と女の二種類しかないのかしらって」

姉は、そのわたしを愛《いと》おしむように見て、

「早苗ちゃん、よくその言葉を覚えていてくれたわね。わたしは本当に、幾度そう思ってきたか、わからないわ。パパとわたしの母だって、単に男と女の関係でしかないことが、悲劇だったと思うの。男と女でありながら、しかし、男同士のように、あるいは女同士のように、愛することができたら、それは美しい友情に変わることができたと思うの」

「そうねえ、本当にねえ」

「そうなの。わたしと沢さんだって、お互いに、あまりに男であり、女でありすぎたと思うの。男女を越えた……つまり、人格と人格の結びつきなら、もっと美しく、ゆったりとした関係が持てたと思うの」

そうか、そうだったのか。あの行きずりに聞いた言葉の裏には、こんなにも重い事実が秘められていたのか。

「お姉さん、わかったわ。本当に、この世には、男と女を越えた結びつきがなければ、いけないのね。そしてそれが本当の、大切な……愛というものかも知れないのね」


二日経ったま昼、わたしと姉の奈津子は、再びトド原に行った。モーターボートで入江を一気に横ぎり、トド原に着いた時、わたしはそこが、いかに寒々とした木々の墓であるかを改めて思い知らされた。

「お姉さん、わたしね、人間の世界って、石の森のようなものだと思ったことがあるわ。木なら枯れていても、まだあたたかさがあるわ。もしかして、枯れた木も芽を吹くことがあるかも知れないわ。でも石の森は、命のない、冷たい、重い、そんな世界だと思ったの」

「石の森ねえ。そうかも知れない。でも、石にも命を甦らせることのできる方がいらっしゃるって、わたしの母ならいうかも知れないわ」

姉はひっそりと微笑した。初めて会った日のように、妖精のように、神秘的な微笑だった。

その翌日、尾岱沼から車に乗って、札幌に帰る途中、わたしと姉は、虹別で再び原野にかかる大きく太い虹を見た。鮮やかに色の濃い虹であった。

〈底本について〉

この本に収録されている作品は、次の出版物を底本にして編集しています。

『石の森』集英社文庫　1979年5月25日
（2008年6月14日第52刷）

〈差別的表現について〉

作品本文中に、差別的表現とも受け取れる語句や言い回しが使用されている場合がありますが、著者が故人であることを考慮して、底本に沿った表現にしております。ご了承ください。

三浦綾子とその作品について

三浦綾子とその作品について

三浦綾子　略歴

1922　大正11年　4月25日
北海道旭川市に父堀田鉄治、母キサの次女、十人兄弟の第五子として生まれる。

1935　昭和10年　13歳
旭川市立大成尋常高等小学校卒業。

1939　昭和14年　17歳
旭川市立高等女学校卒業。
歌志内公立神威尋常高等小学校教諭。

1941　昭和16年　19歳
神威尋常高等小学校文珠分教場へ転任。
旭川市立啓明国民学校へ転勤。

1946　昭和21年　24歳
啓明小学校を退職する。
肺結核を発病、入院。以後入退院を繰り返す。

1948 昭和23年 26歳
幼馴染の結核療養中の前川正が訪れ交際がはじまる。
1952 昭和27年 30歳
脊椎カリエスの診断が下る。
小野村林蔵牧師より病床で洗礼を受ける。
1954 昭和29年 32歳
前川正死去。
1955 昭和30年 33歳
三浦光世と出会う。
1959 昭和34年 5月24日 37歳
三浦光世と日本基督教団旭川六条教会で中嶋正昭牧師司式により結婚式を挙げる。
1961 昭和36年 39歳
新居を建て、雑貨店を開く。
1962 昭和37年 40歳
『主婦の友』新年号に入選作『太陽は再び没せず』が掲載される。

1963　昭和38年　41歳
朝日新聞一千万円懸賞小説の募集を知り、一年かけて約千枚の原稿を書き上げる。

1964　昭和39年　42歳
朝日新聞一千万円懸賞小説に『氷点』入選。
朝日新聞朝刊に12月から『氷点』連載開始（翌年11月まで）。

1966　昭和41年　44歳
『氷点』の出版に伴いドラマ化、映画化され「氷点ブーム」がひろがる。
『塩狩峠』の連載中から口述筆記となる。

1981　昭和56年　59歳
初の戯曲「珍版・舌切り雀」を書き下ろす。
旭川市公会堂にて、旭川市民クリスマスで上演。

1989　平成元年　67歳
結婚30年記念CDアルバム『結婚30年のある日に』完成。

1994　平成6年　72歳
『銃口』刊行。最後の長編小説となる。

1998 平成10年　76歳
三浦綾子記念文学館開館。
1999 平成11年　77歳
10月12日午後5時39分、旭川リハビリテーション病院で死去。

没後

2008 平成20年
開館10周年を迎え、新収蔵庫建設など、様々な記念事業をおこなう。
2012 平成24年
生誕90年を迎え、電子全集配信など、様々な記念事業をおこなう。
2014 平成26年
『氷点』デビューから50年。「三浦綾子文学賞」など、様々な記念事業をおこなう。
10月30日午後8時42分、三浦光世、旭川リハビリテーション病院で死去。90歳。

2016　平成28年
『塩狩峠』連載から50年を迎え、「三浦文学の道」など、様々な記念事業をおこなう。
2018　平成30年
開館20周年を迎え、分館建設、常設展改装など、様々な記念事業をおこなう。
2019　令和元年
没後20年を迎え、オープンデッキ建設、氷点ラウンジ開設などの事業をおこなう。
2022　令和4年
三浦綾子生誕100年を迎え、三浦光世日記研究とノベライズ、作品テキストや年譜のデータベース化、出版レーベルの創刊、作品のオーディオ化、合唱曲の制作、学校や施設等への図書贈呈など、様々な記念事業をおこなう。

三浦綾子　おもな作品　（西暦は刊行年※一部を除く）

1962　『太陽は再び没せず』（林田律子名義）
1965　『氷点』
1966　『ひつじが丘』
1967　『愛すること信ずること』
1968　『積木の箱』『塩狩峠』
1969　『道ありき』『病めるときも』
1970　『裁きの家』『この土の器をも』
1971　『続氷点』『光あるうちに』
1972　『生きること思うこと』『自我の構図』『帰りこぬ風』『あさっての風』
1973　『残像』『愛に遠くあれど』『生命に刻まれし愛のかたみ』『共に歩めば』
『死の彼方までも』
1974　『石ころのうた』『太陽はいつも雲の上に』『旧約聖書入門』
1975　『細川ガラシャ夫人』

三浦綾子とその作品について

1976 『天北原野』『石の森』
1977 『広き迷路』『泥流地帯』『果て遠き丘』『新約聖書入門』
1978 『毒麦の季』『天の梯子』
1979 『続泥流地帯』『孤独のとなり』『岩に立つ』
1980 『千利休とその妻たち』
1981 『海嶺』『イエス・キリストの生涯』『わたしたちのイエスさま』
1982 『わが青春に出会った本』『青い棘』
1983 『水なき雲』『三浦綾子作品集』『泉への招待』『愛の鬼才』『藍色の便箋』
1984 『北国日記』
1985 『白き冬日』『ナナカマドの街から』
1986 『聖書に見る人間の罪』『嵐吹く時も』『草のうた』『雪のアルバム』
1987 『ちいろば先生物語』『夕あり朝あり』
1988 『忘れえぬ言葉』『小さな郵便車』『銀色のあしあと』
1989 『それでも明日は来る』『あのポプラの上が空』『生かされてある日々』
『あなたへの囁き』『われ弱ければ』
1990 『風はいずこより』

1991　『三浦綾子文学アルバム』『三浦綾子全集』『祈りの風景』『心のある家』『母』
1992　『夢幾夜』『明日のあなたへ』
1993　『キリスト教・祈りのかたち』『銃口』『この病をも賜ものとして』
1994　『小さな一歩から』『幼な児のごとく――三浦綾子文学アルバム』
1995　『希望・明日へ』『新しき鍵』『難病日記』
1996　『命ある限り』
1997　『愛すること生きること』『さまざまな愛のかたち』
1998　『言葉の花束』『綾子・大雪に抱かれて』『雨はあした晴れるだろう』『ひかりと愛といのち』
1999　『三浦綾子対話集』『明日をうたう命ある限り』『永遠に　三浦綾子写真集』
2000　『遺された言葉』『いとしい時間』『夕映えの旅人』『三浦綾子小説選集』
2001　『人間の原点』『永遠のことば』
2002　『忘れてならぬもの』『まっかなまっかな木』『私にとって書くということ』
2003　『愛と信仰に生きる』『愛つむいで』
2004　『「氷点」を旅する』

三浦綾子とその作品について

2007　『生きること ゆるすこと 三浦綾子 新文学アルバム』
2008　『したきりすずめのクリスマス』
2009　『綾子・光世　響き合う言葉』
2012　『丘の上の邂逅』『三浦綾子電子全集』
2014　『ごめんなさいといえる』
2016　『国を愛する心』『三浦綾子　366のことば』
2018　『一日の苦労は、その日だけで十分です』
　　　『信じ合う　支え合う　三浦綾子・光世エッセイ集』
2020　『カッコウの鳴く丘』（小冊子）
2021　『雨はあした晴れるだろう』（増補復刊）『三浦綾子祈りのことば』
2022　『平凡な日常を切り捨てずに深く大切に生きること』
　　　『愛は忍ぶ　三浦綾子物語――挫折が拓いた人生』
　　　『三浦綾子生誕100年記念文学アルバム　――ひかりと愛といのちの作家』

三浦綾子の生涯

難波真実（三浦綾子記念文学館 事務局長）

三浦綾子は1922年4月25日に旭川《あさひかわ》で誕生しました。地元の新聞社に勤める父・堀田鉄治と母・キサの五番めの子どもでした。大家族の中で育ち、特に祖母の影響が強かったのでしょうか、お話の世界が好きで、よく本を読んでいたようです。文章を書くことも好きだったようで、小さい頃からその片鱗がうかがえます。13歳の頃に幼い妹を亡くし、死と生を考えるようになりました。この妹の名前が陽子で、『氷点』のヒロインの名前となりました。

綾子は女学校卒業後、16歳11ヶ月で歌志内《うたしない》市（旭川から約60キロ南）の小学校に代用教員として赴任します。当時は軍国教育の真っ只中。綾子も一途に励んでおりました。そんな中で1945年8月、日本は敗戦します。それに伴い、教育現場も方向転換しました。教科書への墨塗りもその一例です。そのことが発端となってショックを受け、生徒たちへの責任を重く感じた綾子は、翌年3月に教壇を去りました。私の教えていたことは何だったのか。正しいと思い込んで一所懸命に教えていたことが、まるで反対だったと、失意の底に沈みました。

しかし一方で、彼女の教師経験は作品を生み出す大きな力となりました。『積木の箱』『泥流地帯』『天北原野』など、多くの作品で教師と生徒の関わりの様子が丁寧に描かれていて、綾子が生徒たちに向けていた温かい眼差しがそこに映しだされています。また、綾子最後の小説『銃口』で、北海道綴方《つづりかた》教育連盟事件という出来事を描いていますが、教育現場と国家体制ということを鋭く問いかけました。

さて、教師を辞めた綾子は結婚しようとするのですが、結納を交わした直後に病気にかかります。肺結核でした。人生に意味を見いだせない綾子は婚約を解消し、オホーツクの海で入水自殺を図ります。間一髪で助かったものの自暴自棄は変わらず、生きる希望を失ったままでした。そしてさらに、脊椎カリエスという病気を併発し、絶対安静という療養生活に入ります。ギプスベッドに横たわって身動きできない、そういう状況が長く続きました。

しかしある意味、この闘病生活が綾子の人生を大きく方向づけました。療養が始まって2年半が経った頃、幼なじみの前川正という人に再会し、彼の献身的な関わりによって綾子は人生を捉え直すことになります。人はいかに生きるべきか、愛とはなにかということを綾子はつかんでいきました。前川正を通して、短歌を詠むようになり、キリスト教の信仰を持ちました。作家として、人としての土台がこの時に形作られたのです。

前川正は綾子の心の支えでしたが、彼もまた病気であり、結局、綾子を残してこの世を去ります。綾子は大きなダメージを受けました。それから1年ぐらい経った頃、綾子が参加していた同人誌の主宰者によるきっかけで、ある男性が三浦綾子を見舞います。この人が、三浦光世。後に夫になる人です。光世は綾子のことを本当に大事にして、愛して、結婚することを決めるのです。病気の治るのを待ちました。もし、治らなくても、自分は綾子以外とは結婚しないと決めたのですが、4年後、綾子は奇跡的に病が癒え、本当に結婚することができたのです。

結婚した綾子は雑貨店「三浦商店」を開き、目まぐるしく働きます。そんな折に弟から手渡された朝日新聞社の一千万円懸賞小説の社告を見て、1年かけて約千枚の原稿を書き上げました。それがデビュー作『氷点』。42歳の無名の主婦が見事入選を果たします。テレビドラマ、映画、舞台でも上演されて、氷点ブームを巻き起こしました。

一躍売れっ子作家となった綾子は『ひつじが丘』『積木の箱』『塩狩峠』など続々と作品を発表します。テレビドラマの成長期とも重なり、作家として大活躍しました。光世は営林局に勤めていたのですが、作家となった綾子を献身的に支えました。『塩狩峠』を書いている頃から綾子は手が痛むようになり、光世が代筆して、口述筆記のスタイルを採るようになりました。それからの作品はすべてそのスタイルです。光世は取材旅行にも同行しました。文字通り、夫婦としても、創作活動でもパートナーとして歩みました。

１９７１年、転機が訪れます。主婦の友社から、明智光秀の娘の細川ガラシャを書いてくれとの依頼があり、翌年取材旅行へ。これが初の歴史小説となり、『泥流地帯』『天北原野』『海嶺』などの大河小説の皮切りとなりました。三浦文学の質がより広く深くなったのです。同じく歴史小説の『千利休とその妻たち』も好評を博しました。

ところが１９８０年に入り、「病気のデパート」と自ら称したほどの綾子は、その名の通り次々に病気にかかります。人生はもう長くないと感じた綾子は、伝記小説をその頃から多く書きました。クリーニングの白洋舎を創業した五十嵐健治氏を描いた『夕あり朝あり』は、激動の日本社会をも映し出し、晩年の作品へとつながる重要な作品です。

１９９０年に入り、パーキンソン病を発症した綾子は「昭和と戦争」を伝えるべく、最後の力を振り絞って『母』『銃口』を書き上げました。〝言葉を奪われる〟ことの恐ろしさと、そこに加担してしまう人間の弱さをあぶり出したこの作品は、「三浦綾子の遺言」と称され、日本の現代社会に警鐘を鳴らし続けています。

綾子は、最後まで書くことへの情熱を持ち続けた人でした。そして光世はそれを最後まで支え続けました。手を取り合い、理想を現実にして、愛を紡ぎつづけた二人でした。

そして1999年10月12日、77歳でこの世を去りました。旭川を愛し、北海道を〝根っこ〟にして書き続けた35年間。単著本は八十四作にのぼり、百冊以上の本を世に送り出しました。今なお彼女の作品は、多くの人々に生きる希望と励ましを与え続けています。

三浦綾子とその作品について

この「手から手へ～三浦綾子記念文学館復刊シリーズ」は、〝紙の本で読みたい〟という三浦綾子文学ファンの声に応えるため、絶版や重版未定のまま年月が経過した作品を、三浦綾子記念文学館が編集し、本にしたものです。

〈シリーズ一覧〉

(1) 三浦綾子『果《は》て遠《とお》き丘《おか》』(上・下) 2020年11月20日

(2) 三浦綾子『青《あお》い棘《とげ》』 2020年12月1日

(3) 三浦綾子『嵐《あらし》吹《ふ》く時《とき》も』(上・下) 2021年3月1日

(4) 三浦綾子『帰《かえ》りこぬ風《かぜ》』 2021年3月1日

(5) 三浦綾子『残像《ざんぞう》』(上・下) 2021年7月1日

(6) 三浦綾子『石《いし》の森《もり》』 2021年7月1日

(7) 三浦綾子『雨《あめ》はあした晴《は》れるだろう』(増補) 2021年10月1日

(8) 三浦綾子『広《ひろ》き迷路《めいろ》』 2021年10月30日

(9) 三浦綾子『裁《さば》きの家《いえ》』 2023年2月14日

(10) 三浦綾子『積木《つみき》の箱《はこ》』 2023年春頃刊行予定

ほか、公益財団法人三浦綾子記念文化財団では左記の出版物を刊行しています（刊行予定を含む）。

〈氷点村文庫〉

⑴『おだまき』（第一号第一巻）　２０１６年12月24日　※絶版

⑵『ストローブ松《まつ》』（第一号第二巻）　２０１６年12月24日　※絶版

〈記念出版〉

(1)『合本特装版《がっぽんとくそうばん》　氷点《ひょうてん》・氷点《ひょうてん》を旅《たび》する』　２０２２年4月25日

(2)『三浦綾子生誕《みうらあやこせいたん》100年記念《ねんきねん》アルバム　―ひかりと愛といのちの作家』　２０２２年10月12日

〈横書き・総ルビシリーズ〉

(1)『横《よこ》書《が》き・総《そう》ルビ　氷点《ひょうてん》』（上・下）　２０２２年９月30日

(2)『横《よこ》書《が》き・総《そう》ルビ　塩狩峠《しおかりとうげ》』　２０２２年８月１日

(3)『横《よこ》書《が》き・総《そう》ルビ　泥流《でいりゅう》地帯《ちたい》』　２０２２年８月１日

(4)『横《よこ》書《が》き・総《そう》ルビ　続《ぞく》泥流《でいりゅう》地帯《ちたい》』　２０２２年８月15日

(5)『横《よこ》書《が》き・総《そう》ルビ　道《みち》ありき』　２０２２年９月１日

(6)『横《よこ》書《が》き・総《そう》ルビ　細川《ほそかわ》ガラシャ夫人《ふじん》』（上・下）　２０２２年12月25日

〈読書のための「本の一覧」のご案内〉

三浦綾子記念文学館の公式サイトでは、三浦綾子文学に関する本の一覧を掲載しています。読書の参考になさってください。左記URLあるいはQRコードでご覧ください。

https://www.hyouten.com/dokusho

ミリオンセラー作家《さっか》

三浦《みうら》 綾子《あやこ》

1922年《ねん》北海道《ほっかいどう》旭川市《あさひかわし》生《う》まれ。小学校《しょうがっこう》教師《きょうし》、13年《ねん》にわたる闘病生活《とうびょうせいかつ》、恋人《こいびと》との死別《しべつ》を経《へ》て、1959年《ねん》三浦光世《みうらみつよ》と結婚《けっこん》し、翌々《よくよく》年《ねん》に雑貨店《ざっかてん》を開《ひら》く。

1964年《ねん》小説《しょうせつ》『氷点《ひょうてん》』の入選《にゅうせん》で作家《さっか》デビュー。約《やく》35年《ねん》の作家生活《さっかせいかつ》で84にものぼる単著作品《たんちょさくひん》を生《う》む。人《ひと》の内面《ないめん》に深《ふか》く切《き》り込《こ》みながらそれでいて地域風土《ちいきふうど》に根《ね》ざした情景描写《じょうけいびょうしゃ》を得意《とくい》とし〝春《はる》を待《ま》つ〟北国《きたぐに》の厳《きび》しくも美《うつく》しい自然《しぜん》を謳《うた》い上《あ》げた。1999年《ねん》、77歳《さい》で逝去《せいきょ》。

MIURA AYAKO LITERATURE MUSEUM 三浦綾子記念文学館

www.hyouten.com

〒070-8007　北海道旭川市神楽7条8丁目2番15号

電話 0166-69-2626　FAX 0166-69-2611

toiawase@hyouten.com

石の森

手から手へ ～ 三浦綾子記念文学館復刊シリーズ ⑥

令和三年七月一日　私家版発行
令和三年十月三十日　初版発行
令和五年二月十四日　第二刷発行

著者　三浦綾子
発行者　田中綾
発行所　公益財団法人三浦綾子記念文化財団
〒〇七〇―八〇〇七
北海道旭川市神楽七条八丁目二番十五号
電話　〇一六六―六九―二六二六
https://www.hyouten.com
価格はカバーに表示してあります。
印刷所　三浦綾子記念文学館・株式会社あいわプリント
製本所　有限会社すなだ製本

 ISBN 978-4-9908389-8-0